NOUVELLE HISTOIRE DE MOUCHETTE

ŒUVRES DE GEORGES BERNANOS

Chez le même éditeur

SOUS LE SOLEIL DE SATAN
L'IMPOSTURE
LA JOIE
UN CRIME
JOURNAL D'UN CURÉ DE CAMPAGNE
NOUVELLE HISTOIRE DE MOUCHETTE
LES GRANDS CIMETIÈRES SOUS LA LUNE
JEANNE RELAPSE ET SAINTE
MONSIEUR OUINE
UN MAUVAIS RÊVE
ŒUVRES
DIALOGUE D'OMBRES

Chez d'autres Editeurs :

LA GRANDE PEUR DES BIEN-PENSANTS
NOUS AUTRES FRANÇAIS
LETTRES EN ANGLAIS
LES ENFANTS HUMILIÉS
LE SCANDALE DE LA VÉRITÉ
LA FRANCE CONTRE LES ROBOTS
LE DIALOGUE DES CARMÉLITES
SAINT DOMINIQUE
LE CHEMIN DE LA CROIX-DES-AMES
LA LIBERTÉ POUR QUOI FAIRE?

Parus dans Le Livre de Poche :

JOURNAL D'UN CURÉ DE CAMPAGNE
SOUS LE SOLEIL DE SATAN
L'IMPOSTURE
LA JOIE
UN CRIME
MONSIEUR OUINE
LES GRANDS CIMETIÈRES SOUS LA LUNE

GEORGES BERNANOS

Nouvelle histoire de Mouchette

PLON

© *Librairie Plon, 1937.*
Droits de reproduction et de traduction réservés
pour tous pays, y compris l'U.R.S.S.

Dès les premières pages de ce récit le nom familier de Mouchette s'est imposé à moi si naturellement qu'il m'a été dès lors impossible de le changer.

La Mouchette de la Nouvelle Histoire *n'a de commun avec celle du* Soleil de Satan *que la même tragique solitude où je les ai vues toutes deux vivre et mourir.*

A l'une et à l'autre que Dieu fasse miséricorde!

G. B.

PREMIÈRE PARTIE

MAIS déjà le grand vent noir qui vient de l'ouest — le vent des mers, comme dit Antoine — éparpille les voix dans la nuit. Il joue avec elles un moment, puis les ramasse toutes ensemble et les jette on ne sait où, en ronflant de colère. Celle que Mouchette vient d'entendre reste longtemps suspendue entre ciel et terre, ainsi que ces feuilles mortes qui n'en finissent pas de tomber.

Pour mieux courir, Mouchette a quitté ses galoches. En les remettant, elle se trompe de pied. Tant pis! Ce sont les galoches d'Eugène, si larges qu'entre la tige elle peut passer les cinq doigts de sa petite main. L'avantage est qu'en s'appliquant à les balancer au bout des orteils ainsi qu'une paire d'énormes castagnettes, elles font à chaque pas sur le macadam du préau un bruit qui met Madame l'institutrice hors d'elle-même.

Mouchette se glisse jusqu'à la crête du talus et reste là en observation, le dos contre la haie ruisselante. De cet observatoire, l'école paraît toute proche encore, mais le préau est maintenant désert. Après la récréation, chaque samedi, les classes se rassemblent dans la salle d'honneur ornée d'un buste de la République, d'un vieux portrait jamais remplacé de M. Armand Fallières, et du drapeau de la Société de gymnastique, roulé dans sa gaine de toile cirée. Madame doit lire en ce moment les notes de la semaine, puis l'on répétera une fois de plus la cantate qui doit être l'une des solennités de la lointaine distribution des prix. — Ah! si lointaine en ce mars désolé! Voici qu'elle reconnaît la strophe familière, le « Plus d'espoir! » que Madame jette avec un terrible rictus de sa bouche mince et un mouvement de tête si violent que son peigne lui tombe dans le cou...

Espérez!... Plus d'espoir!
Trois jours, leur dit Colomb, et je vous dô..o..nne [un monde.
Et son doigt le montrait, et son œil pour le voir
Scrutait de l'hô..o.o.rizon l'i..mmen-si...té prôo.. [fonde...

Derrière les vitres troubles, Mouchette distingue à peine les têtes groupées par deux ou par trois autour des partitions, mais la haute silhouette de Madame, perchée sur l'estrade, se détache en noir sur les murs ripolinés. Le bras maigre se lève et s'abaisse en mesure, parfois reste tendu menaçant, dominateur, tandis que les voix s'apaisent lentement, ont l'air de se coucher aux pieds de la dompteuse ainsi que des bêtes dociles.

Au témoignage de sa maîtresse, Mouchette n'a « aucune disposition pour le chant ». La vérité est qu'elle le hait. Elle hait d'ailleurs toute musique d'une haine farouche, inexplicable. Sitôt que se posent sur les touches du geignant harmonium les longs doigts de Madame, déformés par les rhumatismes, sa faible poitrine se serre si douloureusement que les larmes lui viennent aux yeux. Quelles larmes? On dirait que ce sont des larmes de honte. Chaque note est comme un mot qui la blesse au plus profond de l'âme, un de ces mots lourds que les garçons lui jettent en passant, à voix basse, qu'elle feint de ne pas entendre, mais qu'elle emporte parfois avec elle jusqu'au soir, qui ont l'air de coller à la peau.

Un jour, blême de rage, elle a voulu livrer à Madame le secret de sa répugnance insurmontable, mais elle n'a réussi qu'à balbutier quelques explications ridicules où le mot dégoût revenait sans cesse. « La musique me dégoûte. » « Vous n'êtes qu'une petite barbare, répétait Madame avec accablement, une vraie barbare. Et encore les barbares ont une musique! Une musique barbare naturellement, mais une musique. La musique partout précède la science. » L'institutrice n'en a pas moins renoncé à lui enseigner le solfège, elle perdait trop de temps, devenait folle. Car Mouchette qui s'obstine, on ne sait pourquoi, « à parler de la gorge », au point d'exagérer encore l'affreux accent picard, possède — au dire de Madame — une voix charmante, un filet de voix plutôt, si fragile qu'on croit toujours qu'il va se briser — et qui ne se brise jamais. Malheureusement, depuis qu'elle vient d'atteindre cette quatorzième année qui fait d'elle la doyenne de l'école, Mouchette s'est mise à chanter aussi « de la gorge », lorsqu'elle chante. D'ordinaire, elle se contente d'ouvrir la bouche sans proférer aucun son, dans l'espoir de tromper l'oreille infaillible de la maîtresse. Il arrive que Madame, furieuse, dégringolant tout à coup de l'estrade, entraîne la rebelle jusqu'à l'harmonium, courbe des deux mains la petite tête jusqu'au clavier.

Parfois, Mouchette résiste. Parfois, elle demande grâce, crie qu'elle va essayer. Alors l'institutrice s'installe, tire de l'insupportable instrument une espèce de plainte mugissante sur laquelle oscille vertigineusement la voix limpide, miraculeusement retrouvée, pareille à une barque minuscule à la crête d'une montagne d'écume.

D'abord, Mouchette ne reconnaît pas sa propre voix : elle est trop occupée à épier le visage de ses compagnes, leurs regards, les sourires pâles d'une envie qu'elle prend naïvement pour du dédain. Puis, tout à coup, cela vient jusqu'à elle comme des profondeurs d'une nuit magique, impénétrable. En vain elle s'efforce de briser cette tige de cristal, reprend sournoisement la voix de gorge et l'accent picard. Chaque fois le regard terrible de Madame la rappelle à l'ordre, et le rugissement soudain éperdu de l'harmonium. Quelques secondes, elle s'use dans cette lutte inégale dont personne ne saura jamais la cruauté. Puis, enfin, sans qu'elle l'ait voulu, la note fausse jaillit de sa pauvre poitrine gonflée de sanglots, la délivre. Advienne que pourra! Les rires fusent de toutes parts, et son petit visage prend instantanément cette expression stupide dont elle sait déguiser ses joies.

A l'heure qu'il est, Madame doit s'être aperçue de son absence, mais qu'importe? Dans un moment, Mouchette connaîtra son plus grand plaisir, un plaisir bien à elle, humble et farouche comme elle. Dans un moment, la porte toujours close qui se découpe en noir sur le mur, va s'ouvrir et dégorgera sur la route, avec un seul cri perçant, la classe enfin libérée, sourde aux derniers appels de Madame, à ses claquements de mains impuissants. Alors, tapie dans la haie, retenant son souffle, le cœur submergé d'une délicieuse angoisse, elle épiera la troupe braillarde où l'obscurité ne permet plus de distinguer aucun visage, où les voix seules montent des ténèbres, perdant leur accent familier, en découvrent un autre, se trahissent.

Comme tous les plaisirs de Mouchette, celui-là ne s'émousse guère par l'habitude, s'accroîtrait plutôt à chaque expérience nouvelle. Elle en a d'ailleurs trouvé le secret par hasard, ainsi qu'elle ramasse dans les creux d'ombre, dans les ornières, mille choses précieuses que personne ne voit, qui sont là depuis des années.

A certains jours, qui sont ses mauvais jours (du moins Madame les désigne-t-elle ainsi), lorsque sonne l'heure de la récréation du soir, passée tout entière à l'avare lumière du préau dispensée par un unique bec de gaz, la tentation est trop forte d'enjamber sournoisement la haie, de filer droit devant soi, dans la nuit. Jadis, elle courait jusqu'à la route d'Aubin, sans oser seulement tourner la tête, avec le bruit menaçant de ses propres galoches aux oreilles, ne s'arrêtait, hors d'haleine, qu'à l'entrée du chemin de Saint-Vaast. Mais, un jour, par la fantaisie de l'institutrice, la leçon de solfège remise au lendemain, le troupeau s'est rué dehors presque en même temps que Mouchette, sur ses talons. Elle a dû grimper en hâte le talus, se blottir dans l'herbe, à plat ventre. La surprise est qu'à ce premier tournant les filles essoufflées font halte, bavardent, ne repartent qu'après un long moment. Et même il n'est pas rare que, le troupeau dispersé, deux amies, deux confidentes prolongent un moment l'entretien. Elles viennent parfois s'adosser à la pente gazonnée. En étendant la main, Mouchette pourrait presque toucher les petits chignons tortillés, serrés par un ruban crasseux.

Les dernières minutes sont les plus délicieuses. Déjà les groupes s'éloignent par les innombrables sentiers d'un pays de bois, de pâturages et d'eaux. Il ne reste au loin, sur la route, qu'un couple attardé qui chuchote tout bas, tandis que l'humidité trempe peu à peu les bas de l'observatrice invisible qui, les deux poings serrés sur sa bouche, se retient à grand-peine d'éternuer.

Ce soir-là, elles sont passées en désordre, ont disparu toutes ensemble, et le silence qui retombe n'est plus troublé que par l'imperceptible grésillement de la pluie sur les feuilles sèches. De rage, Mouchette a lancé aux dernières une poignée de boue qui s'est écrasée sans bruit sur la route. Mais elles ne se sont même pas retournées. Peine perdue! On entend vers Lignières leurs voix discordantes qui n'est bientôt plus qu'un murmure très doux auquel répond par instants le marteau du forgeron sur l'enclume, un cri aussi net, aussi pur, que celui qui, en d'autres saisons, sort de la gorge d'argent du crapaud.

Une fois encore, Madame a oublié d'éteindre le bec de gaz du préau, un de ces becs de gaz vieillots dont la flamme ressemble à un papillon jaune, avec un cœur bleu. On entend ce bec cracher et siffler dans le vent, mais il se relève toujours, fait danser sur le ciment livide l'ombre des poteaux peints en rouge, et du hideux toit plat. Mouchette n'en peut détacher les yeux. Il lui semble qu'elle a rêvé cela, jadis, bien des fois, que ce lugubre décor, aujourd'hui, attend quelqu'un. Reviendra-t-il? Reviendra-t-il cette nuit?... Mais c'est Madame qui paraît tout à coup, sur le seuil de la cuisine, s'avance d'un pas raide. Il n'y a plus rien que le grand peuplier à peine visible dans le ciel, et qui fait le murmure d'une source.

MOUCHETTE ne prend pas la peine de dégringoler le talus. Elle se glisse sous la haie, laisse une mèche de son fichu de laine au fil de fer barbelé, s'engage à travers les pâturages dont la pente insensible la conduira jusqu'au bois de Manerville. Ce bois n'est d'ailleurs qu'un taillis de quelques hectares, au sol pauvre et sableux, grouillant de lapins mal nourris, à peine plus gros que des rats. Le hameau de Saint-Venant, qu'elle habite, se trouve sur l'autre lisière, un minuscule hameau de quelques feux, dernier reste d'un immense domaine morcelé dix ans plus tôt par un marchand de biens juif, venu des Ardennes. La maison de Mouchette est à l'écart, perdue dans le taillis, sur le bord d'une mare croupissante. Les murs de torchis, crevés par les gelées, cèdent de toutes parts, la charpente de poutres volées çà et là, s'effondre. Le père, aux premiers froids, se contente de boucher les trous avec des fagots.

Lorsque Mouchette atteint le bois, le vent grossit toujours, la pluie tombe par courtes rafales, qui font crépiter le bois mort. L'ombre est maintenant si épaisse qu'on ne distingue plus le sol. L'averse roule, avec un bruit de grêle.

Courageusement, Mouchette relève sa pauvre jupe par-dessus sa tête, et commence à courir le plus vite qu'elle peut. Malheureusement, le sol, miné par les rongeurs, s'écroule sous elle presque à chaque pas, et si elle longe le taillis, là où les racines entrelacées font le terrain plus ferme, elle reçoit en plein visage la féroce gifle des branches trempées, souples comme des verges. L'une d'elles accroche son fichu. Elle se jette en avant pour le retrouver, bute contre une souche, s'étale de tout son long. Maudit fichu! Ce n'est pas un fichu neuf, non! Mais il passe de l'un à l'autre selon les besoins. Même le père l'emporte parfois, roulé autour de sa tête défigurée par l'enflure lorsqu'il souffre de ses terribles rages de dents. Par quel miracle pourrait passer inaperçue la disparition d'un objet si précieux que tous ont l'habitude de voir pendu chaque jour au même clou? Dieu! quelle raclée dont le dos déjà lui cuit!

Le crépitement de l'averse redouble et il s'y mêle à présent l'immense chuintement du sol saturé, les brefs hoquets de l'ornière qui s'effondre et parfois, sous quelque dalle invisible, le bouillonnement de l'eau pressée par la pierre, son sanglot de cristal.

Désespérément, Mouchette va et revient au plus profond du taillis. A la fin, elle doit foncer, tête basse, droit devant elle. Sa jupe trempée colle à ses genoux et elle doit presque à chaque pas tirer des deux mains sur la tige de ses galoches embourbées. Malédiction! Comme elle s'arrache du sol pour sauter une flaque de boue dont elle ne peut exactement calculer la largeur, le sol se referme sur l'un des souliers avec un affreux bruit de gueule qui lape. Mouchette roule au fond du fossé, fait quelques pas au hasard, se redresse étourdie, incapable de retrouver sa route, et sautille en pleurant de rage, tenant dans la main son pied nu.

De guerre lasse, elle s'assoit, ivre de froid et de fatigue. Le pis est qu'après tant de détours, elle n'espère plus s'orienter. En vain, pour mieux écouter, s'applique-t-elle à fermer les yeux. Depuis longtemps le marteau du forgeron a cessé de frapper sur l'enclume, et d'ailleurs, la tempête fait rage, les baliveaux vibrent comme des cordes. A peine entend-on parfois l'aboiement lointain d'un chien, aussitôt emporté par le vent. Ce chemin qu'elle vient d'atteindre n'est qu'un des innombrables sentiers tracés peu à peu, chaque hiver, par les vieilles femmes qui vont au bois, reviennent en traînant derrière elles leurs fagots, les énormes bottes de bois mort.

L'heure du souper est sûrement passée. Quoi qu'elle fasse, il lui faudra se coucher avec sa faim. Pourvu que le père soit soûl! Et malheureusement, la chose aujourd'hui n'est pas sûre, parce que voilà plus d'une semaine que les betteraves sont rentrées, plus de travail, l'estaminet ne doit plus faire crédit, car Mme Isambart, la nouvelle cabaretière, n'est pas tendre pour les ivrognes. Reste la bouteille de genièvre mise en réserve derrière les bûches. Seulement la mère qui ne mange plus, à cause de ce mauvais mal qu'elle a dans la poitrine, prélève parfois la valeur d'un petit verre, à quoi elle substitue d'habitude une égale quantité d'eau pure. La chose passe généralement inaperçue, car l'ancien contrebandier n'use de sa propre marchandise qu'au retour de l'estaminet, alors que, selon son expression, « la goutte lui écume dans tout le corps » et qu'il n'a plus « qu'à se finir ». Tandis que ce soir....

La pensée de Mouchette ne se présente jamais,

bien entendu, dans une si belle ordonnance logique. Elle reste vague, passe aisément d'un plan à l'autre. Si les misérables avaient le pouvoir d'associer entre elles les images de leur malheur, elles auraient tôt fait de les accabler. Mais leur misère n'est pour eux qu'une infinité de misères, un déroulement de hasards malheureux. Ils ressemblent à des aveugles qui comptent de leurs doigts tremblants des pièces de monnaie dont ils ne connaissent pas l'effigie. Pour les misérables, l'idée de la misère suffit. Leur misère n'a pas de visage.

Maintenant qu'elle ne lutte plus, Mouchette retrouve cette résignation instinctive, inconsciente qui ressemble à celle des animaux. N'ayant jamais été malade, le froid qui la pénètre est à peine une souffrance, une gêne plutôt pareille à tant d'autres. Cette gêne n'a rien de menaçant, n'évoque aucune image de mort. Et d'ailleurs, la mort elle-même, Mouchette y pense comme à un événement bizarre, aussi improbable, aussi inutile à prévoir que, par exemple, le gain fabuleux d'un gros lot. A son âge, mourir ou devenir une dame sont deux aventures aussi chimériques.

Elle s'est glissée, peu à peu, entre les deux troncs jumelés d'un pin adulte sans doute jadis

oublié par les bûcherons. L'épais matelas d'aiguilles lui fait un lit presque sec, car l'eau s'écoule en dessous. Elle ôte son unique chaussure, arrache ses bas de laine qu'elle tord. Le vent semble venir de tous les points à la fois, et il creuse çà et là, au plus épais du taillis cinglé par la monstrueuse averse, de véritables tourb
lons où, parmi les branches rebroussées, un
mince colonne de feuilles mortes monte vers le ciel, aussitôt rabattues par les trombes d'eau.

CE bruit de pas, elle a levé les yeux sans hâte, l'aperçoit tout de suite venant vers elle de sa marche prudente de bête nocturne. Comme tout à l'heure celle de Madame, sa longue silhouette se découpe en noir sur le fond plus clair du ciel. Les larges salopettes qui passent par-dessus sa culotte de velours lui font une espèce de jupe. Mouchette l'a reconnu tout de suite à l'odeur de son tabac de contrebande, un tabac belge parfumé à la violette et dont il apporte parfois au père une provision sous la forme de larges briques couleur de feu, si dures qu'il faut les partager à coups de hachoir.

« Tiens, dit-il, te v'là. »

Il l'a presque heurtée de ses grosses bottes qui dégagent une forte odeur de graisse et de terreau. Et aussitôt elle reçoit en plein visage le jet d'une lampe électrique.

« Fait trop sale pour tendre mes crins, je rentre. »

Elle se lève avec peine, tenant toujours à la main ses bas et son unique galoche. Tout son petit corps tremble.

« M...! tu meurs de froid, ma belle. A-t-on idée aussi par un temps pareil d'aller se mettre à l'abri dans les fonds! L'eau va monter d'ici cinq minutes, ou je ne m'appelle plus de mon nom. Et qu'est-ce que t'as fait de ton autre galoche, malheureuse?

— Per... per... due, m'sieu Arsène.

— Imbécile! Tu reviens de l'école? Alors, t'aurais pas pu prendre la route, non? Avec les copines? Faut que tu n'aies pas plus d'idée qu'une poule d'eau, c'est le cas de le dire. »

Il braque de nouveau la lanterne. Mouchette essaie désespérément d'enfiler ses bas trempés. Un long moment, elle reste ainsi au centre du halo lumineux, une jambe étendue, l'autre repliée, incapable de quitter son gîte où elle a fini par se rasseoir, immobile, paralysée par la lumière.

« Si tu rentres chez le père sans ton compte de galoches, gare à tes fesses! Te rappelles-tu au moins où tu l'as perdue, nigaude? »

Mouchette lève la tête, essaie de distinguer

le visage penché vers elle dans les ténèbres. La présence de ce garçon ne l'inquiète d'ailleurs pas plus que celle d'une bête familière, mais bien avant qu'elle ait formé aucune pensée, son oreille a saisi dans la voix pourtant bien connue, elle ne sait quelle imperceptible fêlure. C'est comme la brûlure d'une mèche de fouet sur ses reins; elle est debout.

« Qu'est-ce qui te prend? Te v'là bien vivace tout à coup. On dirait que t'as marché dans un nid de frelons. Vas-tu me dire où tu l'as laissée ta galoche, bon Dieu de bon Dieu! »

La voix s'est faite plus dure, impérieuse, et Mouchette sait que le temps presse, qu'elle risque une paire de calottes. Mais quoi! Menaces ni coups ne pourront tirer d'elle une parole, aussi longtemps que ne se seront pas dénoués ses nerfs. Elle peut très bien écouter un quart d'heure sans broncher, sans même l'entendre, une mercuriale de Madame et pour un geste, un mot, elle sent venir ce que l'institutrice désigne volontiers sous le nom de crise — votre crise : « J'aurai probablement blessé mademoiselle Mouchette. » Et les camarades de rire. Mais le père dit plus simplement : « Tu fais ta tête de cochon. »

Elle recule de quelques pas obliques jusqu'au

plus gros des pins, s'y adosse. Du revers de la main gauche, elle essuie son front, ses joues. Le ruban qui tient serrée sa courte natte est resté dans les ronces, lui aussi. Les mèches éparses qu'elle graisse d'huile chaque dimanche ruissellent. M. Arsène la regarde encore une longue minute. Elle ne voit pas ses yeux, mais elle entend son souffle.

« Viens-t'en, fait-il. Assez parlé! L'eau monte. »

Il marche devant, elle le suit. Les brefs éclairs de la lampe font paraître la nuit plus noire, plus traîtresse. Mouchette bute sur les souches, se blesse les pieds aux aiguilles de pin. Pour rien au monde elle n'oserait demander à M. Arsène de ralentir, car elle a au plus profond de son être cet instinct de docilité physique des femmes du peuple qui peuvent bien couvrir d'injures l'ivrogne, mais n'en trottent pas moins à son côté, règlent leur marche sur la sienne. Sa robe est un suaire de glace. Elle ne s'en soucie guère, elle a cessé de souffrir du froid, elle ne sent plus ses jambes ni son ventre, la douleur commence au creux de la poitrine — un malaise, un vide, une nausée. Son regard n'est attentif qu'au mouvement régulier des épaules de son compagnon... Halte!

Le mot parvient trop tard à ses oreilles. Elle avance, tombe sur les genoux, se relève. Ils sont au centre d'une clairière qu'elle ne connaît pas. La pluie a cessé, le vent redouble. Un ciel livide coule au-dessus de leurs têtes, avec un bruit de grandes eaux.

« Arrive ici! »

Elle doit faire encore quelques pas et sa fatigue est si grande que pour grimper la légère pente où glissent ses pieds nus, elle prend, sans y songer, la main de son compagnon.

« Baisse-toi donc! »

Il entre le premier dans la hutte et d'un coup de reins se débarrasse de sa musette qui fait par terre un bruit mou. Elle est pleine de lapins à peine raidis encore, au poil gluant d'eau et de sang.

« Parions que tu ne connaissais pas la hutte à Zidas, dit-il. Les meilleures cachettes sont les plus bêtes. Une sale boîte ouverte à tous les vents, personne ne se méfie de ça. L'année dernière, un peu avant l'ouverture, les gens de Boulogne sont venus avec les panneaux. On a raflé tant de perdreaux que la camionnette a dû faire deux voyages. Au retour, voilà qu'elle reste en carafe sur la route de Blangy. Les gardes ont eu vent de la chose. J'ai entassé ici pour plus de cinq mille francs de gibier. Remarque que les gendarmes ont battu la plaine en tous sens, ils ont même trouvé des caches de l'autre automne, pleines de paille pourrie, mais l'idée ne leur est seulement pas venue de fouiller la bicoque, et l'auraient-ils fouillée, vois-tu bien, qu'ils n'auraient probablement trouvé qu'un tas de fagots et une vieille veste. Parce que... »

Elle s'est laissée tomber dans un coin, sur la terre nue. Ce flot de paroles l'empêche de penser, mais tous ses sens à l'affût guettent elle ne sait quoi encore, épient un péril prochain. Car sa méfiance une fois éveillée ne se rendort pas aisément. Comme les yeux lui font mal, elle abaisse dessus ses paupières. On dirait qu'elle dort.

Aucun des gestes de son hôte ne lui échappe pourtant. De ses longues mains qui restent toujours, sous la crasse, plus blanches que celles des gens du village, M. Arsène fouille le sol comme un chien, les feuilles mortes volent d'une extrémité à l'autre de la cabane. Enfin, la trappe se découvre, un simple couvercle de boîte munie d'une poignée de corde. Il se coule par l'ouverture, reparaît au bout d'un instant.

« Avale-moi ça! » fait-il d'un ton sans réplique.

L'accent brutal rassure Mouchette mieux

qu'aucune parole d'amitié. D'ailleurs, elle est hors d'état de se défendre autrement que par l'immobilité, le silence. Elle commence seulement à comprendre que sa course à travers bois sous l'averse a duré longtemps, très longtemps, qu'elle y a épuisé ses forces. Elle serre convulsivement les dents sur le goulot recouvert de drap du bidon militaire qui empeste le vin aigre.

L'alcool est descendu dans sa poitrine ainsi qu'un jet de plomb fondu. Dieu! Il lui semble que sa fatigue coule le long de ses membres, fourmille à chaque articulation blessée.

M. Arsène jette un fagot dans la cheminée d'argile qu'il a grossièrement façonnée. Il a aussi jeté derrière lui son vieux paletot de cuir et sa chemise de laine. La flamme éclate tout à coup dans la fumée, fait luire son torse nu, couleur de cuivre.

« Chauffe-toi, dit-il. J'aurais mes raisons de filer d'ici, mais quoi! Mieux vaut laisser passer le gros du mauvais temps. C'est un cyclone, ma fille — un « cyclone » qu'on appelle. Voilà plus de vingt ans que j'ai vu le pareil — ou pire. A cette époque-là, je n'allais même point à l'école, j'étais mignard. La chose s'est passée d'abord en mer, au large, à des milles et des milles de nous, et elle est venue en suivant la côte des Anglais.

A Boulogne, le ciel était si noir que les bourgeois sortaient dans la rue. Il s'est fait un grand silence, puis la mer, du côté du nord-ouest, figure-toi, la mer s'est mise à bouillir. Oui, tu aurais dit l'eau d'une casserole lorsqu'elle commence à chanter. Mais on n'entendait rien encore. On n'a même pas entendu grand-chose. On a seulement vu soudain les bâtiments de la douane entourés d'une vapeur — pas une fumée, comprends bien — une vapeur. A croire que l'air bouillait, lui aussi. Et voilà que le toit des docks s'est soulevé lentement, lentement. De loin, ça ressemblait à une bête qui se gonfle, un dragon. Puis, la voilà encore, cette sacrée toiture, qui bat comme une voile, et monte dans le ciel, avec la charpente, vrac! Nous regardions, tu penses, nous — les gosses! Quand le cyclone a passé sur la ville, la terre a tremblé. Mais dans ce cas-là, tu ne sens pas la force du vent : elle aspire, tu es dans le vide. Tu n'entendrais même rien du tout, n'étaient les briques des faîtes, les ardoises qui pètent de toutes parts, un vrai feu de salve. La ville et la mer fumaient ensemble. »

L'expérience de Mouchette ne s'y trompe pas : le bel Arsène est ivre. Seulement son ivresse ne ressemble guère à celle du père. Personne ne l'a d'ailleurs jamais vu tituber au mitan de la route, ou raser les murs, à la manière d'une bête blessée qui rentre au gîte. « C'est des manières de paillasses, dit-il avec dédain, des guignols qui ne portent pas la goutte, et se font accroire à eux-mêmes qu'ils sont soûls. » Il se vante volontiers de ne pas appartenir aux gens d'ici, d'être né à Boulogne par hasard d'une maman Bretonne et d'un père inconnu. D'ordinaire, l'alcool le rend plutôt silencieux. Ou alors, il parle comme ce soir d'une voix égale, presque basse, avec une flamme bizarre dans les yeux, et quand il commence à raconter ses histoires de mer — il a servi dans la marine — gare à qui rigole! On le voit soudain se dandiner sur ses jambes, signe infaillible d'une de ces colères que tous redoutent parce qu'elles ne ressemblent pas aux leurs, gardent à leurs yeux quelque chose d'inexplicable.

« Ecoute, dit-il, le voilà... Le voilà, qui prend la plaine de biais. Dans cinq minutes il fera mauvais sur les hauteurs. Si tu mettais ton oreille à terre, tu l'entendrais galoper. Du temps comme ça, parole d'honneur, ça vous fouette le sang, c'est des temps d'homme. »

D'une main il lève la bouteille avec une moue

gourmande des lèvres qui le fait ressembler à un petit garçon.

« Vous allez vous soûler, monsieur Arsène, dit Mouchette d'une voix tranquille.

— Faut que je me soûle ce soir, dit-il, faut que je sois ras-bord, vois-tu. J'ai des ennuis. »

Sa longue main glisse vers l'épaule de Mouchette, effleure son dos, ses flancs d'une maladroite caresse.

« Te voilà sèche, petite, tant mieux. Avec un vent pareil, il suffirait d'un rien pour foutre la braise aux quatre coins de la cabane, on flamberait ici dedans comme des rats. Tu ne te doutes pas que t'as les fesses juste au-dessus de ma provision de cartouches. Hein, ma belle, quel saut! »

Visiblement, il s'efforce de rire. Mouchette voudrait répondre, par politesse, mais un instinct beaucoup plus fort que sa volonté lui impose le silence. D'ailleurs, la chaleur de l'alcool se dissipe peu à peu, ses paupières sont lourdes, elle dormirait volontiers.

« T'as pas beaucoup de conversation, fait-il, mais pour une fille ça n'est pas malgracieux, au contraire. »

Il a pris dans la poche de sa veste pendue au mur un énorme oignon d'argent.

« A quelle heure t'es sortie de classe?

— Je ne sais point, répond Mouchette méfiante. Peut-être ben six heures et demie. J'ai quitté avant les autres.

— Seule?

— Bien sûr.

— Personne ne t'a vue?

— Est-ce que je peux savoir? Pourquoi me demandez-vous ça, monsieur Arsène? »

Le nez du garçon s'est froncé comme celui d'un chat. Elle hausse les épaules, mais imperceptiblement, pour elle seule. Certes, les innombrables volées qu'elle a reçues n'ont pas asservi son cœur, mais elles lui ont enseigné, avec la prudence, un tranquille et sournois mépris des colères d'homme.

« J'ai sauté la haie, monsieur Arsène.

— Et t'as voulu rentrer par les pâtures?

— Oui.

— Eh bien, retiens ce que je vais te dire. T'es pas revenue par les pâtures. T'es revenue par la route de Linières, comme de juste, à cause du mauvais temps. Et t'aurais même été jusqu'à Linières, probable, pour acheter des billes.

— Des billes? Avec quoi? J'ai pas le sou, monsieur Arsène.

— En voilà, des sous. Tu raconteras que tu

les as trouvés. Donc, t'allais jusqu'au village, et tu t'es arrêtée au coin de la Palud, rapport au temps qui devenait franchement mauvais.

— Bon, bon, monsieur Arsène, j'ai compris. »

Elle a glissé les sous dans la poche de son tablier, elle les échauffe entre ses doigts. Jamais elle n'en a possédé autant. Ils sont doux à caresser comme de la peau.

M. Arsène n'insiste pas.

« Tu t'es donc arrêtée au carrefour. Tu m'as vu sortir de l'estaminet Duplouy. Duplouy est un copain. Je t'ai dit que je rentrais de Bassompierre, que j'avais relevé des collets.

— Des collets? Faudra parler des collets même aux gendarmes?

— Regardez-moi ça, la futée! »

Il achève de vider la bouteille, se rince la bouche avec la dernière gorgée qu'il souffle en pluie sur les cendres rouges.

« Mieux vaut s'accuser d'avoir volé un œuf à la ducasse de Bragelonne qu'un bœuf à la foire de Saint-Vaast. »

Mouchette regarde danser sur les braises les flammes de l'alcool, pareilles à des mouches bleues. Tout son petit visage exprime maintenant la résignation et la ruse. Que de fois déjà elle a dû mentir aux gens de la douane! Jadis, le père faisait la fraude. Ils habitaient alors bien loin d'ici, du côté de Berbloocke, à la lisière de ces marais si dangereux qu'on ne peut les passer de nuit que derrière un chien des Flandres, expert à flairer sous la croûte durcie la boue gluante qui en dix minutes, pouce après pouce, aspire un homme. Elle était si petite en ce temps-là. Aujourd'hui, sans doute, elle saurait mieux mentir. Chaque mot qu'elle vient d'entendre est déjà inscrit dans sa tête, à la place qu'il faut. M. Arsène va et vient. L'étroitesse de la cabane ne le gêne nullement : il y est aussi à l'aise qu'une de ces bêtes fauves, dans leur cage, telles qu'elle les a vues par la fente des planches à la ménagerie Belloc.

« Tu n'es pas une fille comme les autres, tu es une bonne fille, dit-il tout à coup. Je m'en vas te chercher ton soulier. Possible que nous ayons encore de la route à faire. »

Il s'arrête un instant sur le seuil de la porte, et aussitôt l'eau ruisselle sur son dos nu qu'éclaire vaguement le reflet du foyer presque mort.

Elle reste seule. Ses vêtements sont secs, elle n'entend plus sonner ses tempes et la faim lui semble une sorte de prolongement du bien-être physique, un assoupissement délicieux. Chacun de ses sens paraît dormir, sauf celui de l'ouïe. Elle n'a pas besoin de prêter l'oreille pour distinguer entre eux les mille bruits du dehors, les derniers sifflements du vent sur les cimes, l'égouttement de la pluie et parfois l'écroulement d'une branche morte, brisée par l'ouragan, et qui écrase lentement les taillis avant de venir s'enfoncer dans le sol boueux qui ne la rendra plus. Soudain, sa main qui jouait avec les cendres tièdes s'est resserrée d'un mouvement convulsif, et presque en même temps elle s'est levée sur les genoux. Elle vient d'entendre deux détonations nettement détachées, bien qu'assourdies par la distance.

Machinalement, elle a levé les yeux sur la carabine de M. Arsène, toujours pendue à son clou. D'ailleurs, M. Arsène ne pourrait être si loin encore. Sans doute, quelque braconnier réfugié dans une cachette et qui décharge en rentrant son fusil? Mais les deux coups ont été séparés par un intervalle si long, si insolite, qu'il est bien difficile de croire au doublé d'un chasseur...

Et de nouveau, Mouchette pense aux nuits de son enfance, à la maison d'argile, sur les bords de la plaine infinie. Plus d'un contrebandier, cherchant à tâtons l'étroite chaussée perdue, tirait ainsi quelques cartouches, suprême appel aux camarades, eux-mêmes dispersés dans les ténèbres et dont les coups de sifflet ressemblaient aux cris de certains oiseaux des marais. Les détonations, espacées comme celles-ci, et qu'aucun écho ne répercutait, portaient à des distances prodigieuses; l'air lourd, visqueux, imprégné de cette buée grasse qui sort des tourbières, transmettait la vibration aussi fidèlement qu'une eau profonde. Car Mouchette entendait rarement les coups de fusil : c'était le tremblement des vitres qui la réveillait brusquement, la faisait se dresser sur son misérable matelas de chiffons.

M. Arsène est rentré très vite. Il a jeté à terre le soulier retrouvé, tout trempé.

« Je me doutais bien que l'eau se chargerait de l'apporter en contrebas. Dieu sait ce qu'elle a charrié. Il y a même un lapin mort, les reins cassés par les pierres. Et des tourbillons à croire que les jambes vont vous manquer. Ça siffle et ça mousse comme de la bière. »

Elle sent sur elle son regard, un regard lourd.

« T'as entendu? »

Une autre détonation, rien qu'une. Ils attendent vainement la seconde, retenant leur souffle.

« Vermine! » murmure-t-il entre ses dents.

Il ramasse à terre la bouteille vide, la flaire, puis la jette furieusement contre le mur où elle éclate.

« Si j'avais encore un demi-setier de genièvre, j'y retournerais. Oui, j'y retournerais, parole d'honneur. »

De nouveau, son regard rencontre celui de Mouchette, marque une hésitation redoutable. L'enfant le soutient sans broncher.

« Tu es une futée, dit-il enfin. Futée comme une perdrix! On va jeter dehors ce qui reste de feu, et remettre tout en ordre ici dedans. Mais d'abord... »

Il s'accroupit devant l'âtre, lève la main

gauche à la hauteur de son visage, l'examine en sifflotant.

« Approche, fillette. Prends la lampe électrique dans la poche de mon cuir, et tâche de la braquer bien droit, sans trembler, comme une vraie fille de fraudeur. Si tu te sens près de tomber faible, t'auras qu'à fermer les yeux. »

La face externe de la main porte une blessure d'une forme étrange, que la pluie a si lavée qu'elle est maintenant à vif, cernée d'une ecchymose bleue. Les doigts sont gonflés.

« Une morsure, dit-il, une sale morsure. »

De l'autre main, il écarte avec soin les dernières braises, en choisit une sur laquelle il souffle.

« Et maintenant, éclaire-moi. »

Il entortille son poignet d'un chiffon, serre tant qu'il peut. Les doigts sont violets maintenant, et la blessure se dessine en relief, avec une extraordinaire netteté. Elle est mâchurée, certes, mais on voit très bien la marque des dents. Pas des dents de renard ou de blaireau, sûr!

Du bout de ses doigts trempés de salive, il saisit la braise écarlate. Elle a juste la dimension de la blessure. Il la pose délicatement sans hâte, souffle encore. La chair grésille horriblement.

Mais ce n'est pas la braise que regarde Mouchette. Elle fixe le visage que le reflet du halo lumineux sur le mur fait à peine émerger de l'ombre. Il a perdu son expression canaille et, tout tendu vers une image mystérieuse, semble moins l'affronter que se recueillir. Un instant le cou — presque aussi long et flexible que celui d'une femme, avec des reflets soyeux — se gonfle, et une grosse veine noire y paraît. Mais si les lèvres tremblent, elles n'articulent aucun son. Dieu! Voilà des années que la fille de l'ancien contrebandier se sent étrangère parmi les gens de ce village détesté, noirs et poilus comme des boucs, précocement bouffis de mauvaise graisse, les nerfs empoisonnés de café — de ce café dont ils s'imbibent toute l'année, au fond de leurs estaminets puants, et qui finit par donner sa couleur à leur peau.

Le mépris est un sentiment qu'elle connaît mal, parce qu'elle l'imagine naïvement hors de sa portée, elle n'y pense guère plus qu'à ces autres biens, plus matériels, réservés aux riches, aux puissants. On l'étonnerait beaucoup, par exemple, en lui révélant qu'elle méprise Madame, elle se croit seulement révoltée contre un ordre que l'institutrice incarne. « Vous êtes une mauvaise nature! » s'écrie parfois Madame. Elle n'y contredit pas. Elle n'en éprouve pas plus de honte que de ses vêtements troués, car depuis longtemps sa coquetterie est justement de défier par une insouciance sauvage le jugement dédaigneux de ses compagnes et les moqueries des garçons. Que de fois, le dimanche matin, lorsque la mère l'envoie au village chercher la provision de lard pour la semaine, elle a fait exprès de marcher dans les ornières afin d'arriver toute crottée sur la place, à l'heure où les gens sortent de la messe... Et voilà que brusquement...

Il souffle encore sur le morceau de braise, puis le laisse glisser à ses pieds. Leurs deux regards se croisent. Elle voudrait bien faire passer dans le sien ce sentiment dont elle ne sent que la violence, ainsi que le palais, au contact d'un jeune alcool trop vert, n'éprouve que la brûlure. A cette violence, elle ne saurait donner un nom. Qu'a-t-elle en effet de commun avec ce que les gens appellent l'amour, et les gestes qu'elle sait? Elle ne peut que continuer à diriger tout droit, sans trembler, le jet de la lampe sur la main blessée.

« Ouvre la porte, commande-t-il. Je m'en vas jeter les cendres. Pour qui que ce soit, nous n'avons pas mis les pieds ici aujourd'hui, comprends-tu? Pour personne, pas même pour ton père. Maintenant, je passe devant. Suis-moi. »

Le cuir de ses chaussures trop larges la fait horriblement souffrir, mais elle est trop occupée à ne pas perdre de vue son compagnon. La nuit, d'ailleurs, n'est pas très noire. Comme ils quittent sans cesse les chemins pour couper au plus court dans le taillis, Mouchette cherche vainement à s'orienter. Bientôt elle n'y songe plus. Elle est très surprise de se retrouver tout à coup sur la grand-route, juste devant l'estaminet de M. Duplouy. Les volets de la maisonnette sont clos, ne laissent filtrer aucune lumière. Il doit être très tard, sûrement.

M. Arsène entre dans la cour, frappe à une porte basse qui s'ouvre sans bruit. Il parle un moment, si vite qu'elle ne peut saisir aucun mot. Lorsqu'il revient vers elle, il a un singulier sourire, qui serre le cœur.

« Ecoute, dit-il, ce gars-là n'est pas ce que j'avais cru, n'importe. On s'arrangera sans lui, j'ai mon plan, tout soûl que je suis. Nous allons encore faire un bout de chemin. Si t'es rendue, je te porterai sur mes épaules. »

Il lui parle maintenant comme à une égale. Oh! non! elle n'est pas fatiguée, elle n'a pas peur, elle pourrait très bien marcher toute la nuit, qu'il ne se mette donc pas en peine!... Ce sont là des phrases qu'elle prononce au-dedans d'elle, une voix si douce! Mais elle ne réussit qu'à secouer la tête, d'un air bougon.

Ils s'arrêtent devant une autre cabane, que Mouchette connaît bien. On l'appelle le « Rendez-Vous ». Au printemps, les bûcherons y rangent leurs outils. Elle est vide. La porte cède au premier coup de pied.

« Une chance que j'y sois venu avant-hier, dit M. Arsène. Il y a du bois sec et de la bougie. On va faire flambée sur flambée. Au matin, je veux qu'il y ait ici dedans un tas de cendres, de quoi remplir une brouette, je dirai que j'y ai passé la journée, au sec. »

Ils s'assoient de chaque côté de l'âtre et Mouchette tient les yeux fixés sur ses galoches. La réflexion lui est si peu familière qu'elle n'a aucune conscience de l'effort qu'elle fait pour comprendre. S'il lui arrive de s'échapper souvent d'elle-même, grâce au rêve, elle a perdu depuis longtemps le secret de ces routes mystérieuses par lesquelles on rentre en soi. Il lui semble seulement que tout le feu de sa vie, toute sa vie est maintenant concentrée au même point, au même point douloureux de sa petite poitrine, qu'elle y prend peu à peu la dureté, l'inflexible éclat du diamant. Oui, du diamant, d'une de ces pierres magiques dont Madame affirme qu'elles se rencontrent, enfermées là depuis des siècles, au cœur noir d'un bloc de charbon. Elle n'ose regarder M. Arsène. Mais ce qu'elle redoute le plus, c'est de l'entendre. Une parole de lui, dans ce silence, la briserait sûrement comme verre.

« Ecoute, petite, commence-t-il tout à coup, voilà que je t'en ai dit trop ou trop peu, faut que j'aille à présent jusqu'au bout. D'ailleurs, t'auras pas fait demain dix pas hors de ta maison que t'entendras raconter des contes. Je connais les gens. Ils ne feraient pas de mal à une mouche, mais ils ne peuvent pas voir une flaque de sang qu'ils n'y mettent aussitôt la langue. N'importe! Ça n'est pas une chose ordinaire de se fier à une fille, et surtout à une fille de ton âge — une gamine autant dire. Enfin, tâche de lever le nez, de me regarder en face, bien en face, comme un homme. »

Elle essaie, courageusement. Mais chaque fois qu'il rencontre celui de M. Arsène, son regard glisse malgré elle, s'échappe. Elle n'en est pas maîtresse : on dirait une goutte d'huile sur une toile cirée. Péniblement, elle arrive à l'arrêter sur l'échancrure de la chemise, juste à la place où la peau brune s'éclaircit, marquée d'un signe noir.

« C'est malheureux, fait-il en haussant les épaules. Si jeunes que vous soyez, vous autres femmes, vous ne pouvez pas vous passer de grimacer. Enfin, regarde-moi ou ne me regarde pas, fais à ta mode. N'empêche que tu aurais tort de croire que j'agis sans réflexion. J'ai beau être fameusement soûl, je garde ma tête. Eh bien, veux-tu savoir pourquoi j'ai de l'estime pour toi? Depuis que je t'ai vue rossée par ton père, le soir de la ducasse de Saint-Venant, tu te souviens? Il te cinglait le derrière avec la baguette de son fusil, et t'arrêtais pas de tourner sur tes petits pieds pour lui faire face, il a fini par t'envoyer sa main dans la figure. Et tu as été tranquillement t'asseoir au coin de la fenêtre, en secouant ta robe, avec des yeux aussi secs que l'étoupe de mon briquet. Oh! tu penses, j'ai reçu plus d'une raclée quand j'étais jeune, mais toi, vrai, tu m'as fait honte. On t'aurait prise pour... pour une... »

Il chercha longtemps le mot, ne le trouva pas, acheva la phrase en sifflotant. Son visage était soudain devenu de pierre.

« Je crois que j'ai tué un homme, dit-il. Ou

il n'en vaut maintenant guère mieux, sûr! »

Elle n'a pas bougé. Elle a poussé un profond soupir, puis un autre. On croirait qu'elle bâille. Il pense qu'elle n'a pas entendu.

« C'est le garde Mathieu, fait-elle après un silence.

— Juste! Pourquoi que tu le nommes?

— Parce que je l'ai vu passer devant chez nous ce matin. Père a remarqué qu'il avait sa couverture de caoutchouc en bandoulière. « Mathieu va rester la nuit dehors, qu'il a dit, « faudra bien que le gars Arsène ouvre l'œil. »

— C'était une mauvaise parole. Il en court de pareilles depuis des semaines. Mathieu ne peut pas seulement mettre son nez à la fenêtre qu'on ne dise : « Cette fois, Arsène ne s'en tirera pas, « Mathieu va l'avoir. » Eh bien, quoi, c'est moi qui l'ai eu. »

Il prononce les derniers mots avec un accent de regret. L'aveu qu'il vient de faire a détendu son visage dur, et le regard semble chercher dans le vide d'anciennes images, presque oubliées.

« Faut croire que ce sacré cyclone m'avait retourné les nerfs. Je le sentais venir. C'est comme si l'air devenait visqueux, il vous colle à la peau. Et lourd! J'étais en train de déterrer un de mes pièges, tout près de l'enclos Camille, un beau piège à ressort que j'ai payé trente pistoles. Avec des fortes pluies, on ne sait jamais. Mon piège aurait pu être entraîné jusqu'à Saint-Vaast, d'autant que je ne l'enchaîne plus. « Qu'est-ce que « tu fais donc là, gars Arsène? qu'il me demande. « Ça te plairait de faire un tour de l'autre côté « de la mare aux harengs? T'es relégable. » Il disait ça parce que j'avais, en me retournant, mis la main à la poche de mon pantalon. J'ai retourné ma poche. Il y avait dedans ma blague et ma pipe. « Ecoutez, que je lui dis, je ne suis pas « un idiot. A quoi que ça me servirait de vous « faire du mal? Je devrais avoir votre peau, et « ça n'est pas la Guyane que je risquerais, mais « Deibler. Enfin, si ce bibelot vous plaît, vous « pouvez le prendre. » Je voyais que, depuis un moment, il louchait dessus. « Bon! » qu'il me répond sans se faire trop prier. Je lui tourne le dos, il me rappelle. « Ne te crois pas quitte pour « si peu, Arsène, mon gars. Voilà trop longtemps « que tu nous empêches de dormir. T'es bien « fier parce que t'as derrière toi les gros entre- « preneurs de braconne d'Arras ou de Boulogne, « des malins, des vrais gangsters. Mais il ne « manque pas de débrouillards dans ton genre : « un de perdu, pour eux, dix de retrouvés. Fau- « dra que tu tombes tôt ou tard, à moins que tu

« ne files d'ici. — Comptez pas là-dessus, mon-
« sieur Mathieu », que je lui ai fait. »

« Je lui trouvais un drôle d'air. J'ai commencé à comprendre qu'il était soûl, lui aussi. Ça ne se voyait qu'à ses joues creuses, et à ses prunelles qui sautaient à petits coups lorsqu'il essayait de me fixer. Bref, ce n'était plus un domestique que j'avais devant moi, c'était un homme qui me cherchait. Un moment, lui et moi nous sommes restés face à face, sans cligner des paupières, je te dis. Dans ces moments-là, j'aimerais autant foutre le camp, mais je suis comme lié par les jambes, les oreilles me bourdonnent, j'écoute monter ma colère.

« Quand ça me démange entre les épaules, je sais qu'il faut que je fonce, ou mon cœur risquerait d'éclater, je tomberais faible. Remarque bien que la chose m'est arrivée plus d'une fois. Les bonnes gens appellent ça le haut-mal, l'épilepsie. Bref, j'avais déjà fait plus de dix pas, je me suis arrêté. L'autre rigolait, j'ai marché dessus. Heureusement, la pluie s'est mise à tomber, et dure! T'aurais dit du plomb fondu. On se trouvait dans le petit taillis de trois ans, guère plus à l'abri qu'en plaine. Le froid nous a saisis, malgré tout. On a donc marché d'accord vers un bouquet de vieux pins, pas loin de la cabane à Duponchel. Peut-être que l'eau nous avait dégrisés? Je crois pas. Des gars tels que nous, jusqu'à un certain point, c'est plus prudent, une fois soûls. Ce point dépassé, vogue la galère!

« Seulement, ni lui ni moi ne voulions avoir l'air de céder. T'as déjà vu des chiens qui s'empoignent au milieu de la route. Passe un camion, ils filent pour aller régler leur affaire plus loin, ils s'en vont épaule contre épaule, se surveillent du coin de l'œil. Nous de même. Mais sous le couvert, au sec, l'idée m'est revenue de ce qui m'attendait, si je faisais la bête. Le vent venait tout roulant du côté de la mer, le sol tremblait sous nous. « Ecoute, Arsène, qu'il me dit en tor-
« dant sa bouche de travers, puisque l'occasion
« se présente, tu ferais mieux de laisser Louisa
« tranquille, un bon conseil que je te donne.
« J'aime pas qu'on se mette en travers de moi,
« question de femmes. — Vous faites un drôle
« de garde assermenté, que je lui réponds. C'est-
« il des manières de provoquer un homme, lors-
« qu'on a au bout de sa langue de quoi le faire
« envoyer au bagne? »

« Nous nous sommes roulés à terre comme deux sauvages. La grosse veste de velours qu'il avait me gênait pour l'empoigner au cou. Il a fermé ses dents sur ma main, happ! Une sacrée gueulée. J'avais beau lui cogner la tête par terre, le sol est trop mou, il ne voulait pas lâcher. La pente nous a entraînés peu à peu, toujours luttant, et nous nous sommes retrouvés dans le fossé, avec de l'eau jusqu'au ventre. Nous voilà tous les deux bien sots, tu penses! On s'est sorti de là comme on a pu, j'ai tâté mon bidon plein d'eau-de-vie, le bouchon avait sauté! La crainte m'a pris de perdre la marchandise. Autant la mettre à l'abri dans mon ventre, que je me suis dit... Seulement, un litre, dame! lorsqu'on a déjà son compte! J'ai dû m'arrêter de biberonner, à bout de souffle. Les yeux me sortaient de la tête, ils me faisaient l'effet de deux billes de verre.

« Lui me regardait toujours drôlement, pâle comme une serviette, et claquant des mandibules. Il était plus trempé que moi, vu que j'étais tombé dessus. Je lui ai tendu le bidon, et pour un bon moment, nous sommes redevenus copains. C'était le fort du cyclone, et même à l'abri du bosquet de pins, on devait des fois se tenir par le bras, pour faire tête au vent. Bref, nous avons fini le litre, assis sur une grosse souche, avec la fameuse couverture pendue aux branches, qui pissait l'eau comme une gouttière. On ne s'en apercevait même pas. La gorge nous faisait mal de gueuler, le vent prenait chaque parole sur les lèvres, vlan! tu aurais cru un coup de poing. Et voilà que Mathieu... »

Il s'arrêta brusquement, porta la main à sa gorge et resta ainsi quelques secondes, les traits figés dans une espèce de recherche stupide et sans espoir. Puis, son visage s'éclaira peu à peu, bien qu'il restât marqué d'une angoisse dont il avait sans doute perdu conscience. Car, après un silence qui parut à Mouchette interminable, il reprit tranquillement, de l'air d'un homme qui vient de vaincre une légère hésitation de la mémoire, et se résigne à ne recouvrer qu'une part des faits oubliés.

« Cela m'arrive, parfois. (Il passait convulsivement ses mains sur son visage, comme pour en écarter une mouche invisible.) Le docteur appelle cela des « absences. »

Il resta de nouveau silencieux, s'efforçant de sourire. Son regard avait une expression bizarre. Mouchette remarqua qu'une des prunelles était imperceptiblement déviée vers le haut.

« Ça te paraît drôle? dit-il. Que veux-tu? C'est probablement ce sacré genièvre qui me travaille? N'aie crainte! La chose me reviendra. Remarque que le gros de la chose m'est présent, ce sont les détails qui me manquent. Ou plutôt, ils sont tous là, mais pas moyen de les démêler. On croirait un écheveau de ficelle. »

Accroupie sur ses talons, les bras écartés du corps, ses mains posées à terre, le buste incliné en avant, Mouchette ressemblait à un jeune chat à l'affût.

« Qu'est-ce que tu veux demander aux hommes soûls? On va, on vient, et il ne reste plus après dans la cervelle qu'une image ou deux, nettes comme des photographies. Bref, tel que je te vois, je me vois tenant le piège par le ressort, un ressort long d'un demi-pied, vlan! Par deux fois sur son crâne. Un bibelot de douze livres, dame! Il a donc plongé en avant, et il s'est mis à tricoter des jambes, d'abord très vite, puis lentement, et à la fin il n'a plus bougé, le nez dans l'ornière, qu'est devenue rouge. Pour ce qui s'est passé auparavant, je l'ignore. Après?... Ben, après, ma fille, je crois que je suis resté là, pas fier, debout, sans oser le retourner. Même si le coup ne lui avait point fendu le crâne, l'eau devait finir par l'étouffer. Mais quoi! un gars qui a son compte, tu peux bien t'en rapporter à moi, c'est facile à reconnaître. Il a gigoté des jambes, que je te dis, comme un lièvre tiré en tête. Alors... »

Il passa de nouveau la main sur son front.

« N'empêche que tout à l'heure, en entendant

ces coups de fusil, j'ai pensé : il n'est pas mort, il tire pour appeler son copain. Par un temps pareil, qui diable pourrait bien s'amuser à tenir l'affût? Le gibier est tapi au sec. D'ailleurs, j'ai bien reconnu son pétard : un gros douze anglais très court, chargé de poudre M qui foire toujours un peu quand le temps est humide... »

Il avait beau parler maintenant avec beaucoup de calme, la fille n'était pas dupe. Elle épiait ardemment ce visage pourtant connu, il lui semblait qu'elle le voyait pour la première fois. Ou mieux encore, que c'était là le premier visage humain qu'elle eût réellement regardé, absorbée dans une attention si forte et si tendre qu'elle était comme une effusion de sa propre vie. Elle ne songeait pas à le trouver beau. Il était seulement fait pour elle, il tenait aussi à l'aise dans son regard que le manche de son vieux couteau dans sa paume — ce couteau trouvé un soir sur la route, et qui était l'unique chose qu'elle possédât en ce monde, ne l'ayant montré à personne. Elle eût bien désiré poser la main sur ce visage, mais la couleur dorée, aussi chaude que celle du pain, la rendait assez heureuse.

Certes, ce n'est pas un beau visage. Ceux des

acteurs de cinéma, qu'elle a vus parfois dans les journaux, appartiennent à des hommes trop différents d'elle, qu'elle ne connaîtra jamais, qui ne lui inspirent qu'un mépris mêlé d'envie. Au lieu que celui-ci est un visage fraternel, un visage complice. Il lui est devenu tout à coup, en un éclair, aussi familier que le sien. Le plaisir qu'elle trouve à le contempler ne vient pas de lui, mais d'elle, du plus profond de son être, où il était caché, attendant de naître, ainsi que le grain de blé sous la neige. Et ce plaisir ne dépend ni du lieu, ni de l'heure, rien n'en saurait altérer la puissante et suave essence. Un instant aboli, il renaîtrait de lui-même, selon un rythme aussi naturel, aussi régulier que celui du sommeil ou de l'appétit.

Mon Dieu, sans doute, il lui est arrivé de penser à l'amour, mais pour surmonter une révolte physique dont elle n'est jamais maîtresse, et qui d'ailleurs en secret lui fait honte, elle doit s'efforcer d'imaginer des êtres aussi différents que possible de ceux qui l'entourent, et son imagination se lasse vite. Tandis qu'à cette minute le visage qu'elle tient si précieusement tout entier dans son regard, avec une sollicitude farouche, la laisse aussi tranquille, aussi rassurée que l'image même du sien lorsqu'il lui arrive de le rencontrer dans l'unique glace de la maison Oui — il était cela précisément — un double mystérieux de son propre visage, mais plus cher mille fois. Car certains jours, sans avoir besoin d'aucun miroir — lorsque, par exemple, les railleries de Madame, frappant au hasard, trouvent tout à coup le point douloureux, quand elle sent monter à ses joues la rougeur inexorable et ce frémissement du menton qui annonce et précède le sanglot — elle déteste sa figure, elle la méprise. Au lieu que le visage de M. Arsène ne lui sera jamais odieux ni ridicule.

Même ce rictus hagard de l'ivresse qu'elle hait tant sur la face de son père et qu'elle retrouve, hélas! sur celle de son ami, ne lui inspire qu'une espèce de compassion tendre, et un autre sentiment qu'elle ne connaît pas du tout — car les gosses lui font horreur — d'humilité protectrice, d'inaltérable patience, d'une patience plus forte que tous les dégoûts — l'instinct maternel frais éclos dans sa conscience, aussi fragile qu'une rose de mai.

« Monsieur Arsène, dit-elle, si vraiment le garde n'est pas mort, à quoi bon raconter que je vous ai vu devant l'estaminet? Faudrait bien trouver autre chose. »

Il est debout contre le mur, les mains croisées derrière son dos, et il la regarde de haut en bas, la tête penchée. D'énormes gouttes de sueur perlent à la racine de ses cheveux, coulent une à une sur sa poitrine nue.

« Ben, après? fait-il d'une voix pâteuse. S'il peut, sûr qu'il parlera. Il dira oui, je dirai non, ça impressionne les journalistes. Moi ou un autre, manque pas dans le pays de gars capables de lui régler son compte, et si tu reçois un bon coup sur la nuque, t'as généralement pas le temps de te retourner.

— C'est que, voyez-vous, monsieur Arsène, au cas que je puisse vous rendre service, faudrait tâcher de vous rappeler...

— Me rappeler... me rappeler... T'en veux trop savoir, fillette. J'ai la tête pis qu'un nid de bourdons. »

Les yeux gris s'enflamment de colère, puis s'éteignent presque aussitôt. Le temps d'un éclair, même, Mouchette y croit distinguer une imploration vague, un appel douloureux.

« Qu'est-ce que tu attends que je te dise? Il était là, oui, le nez dans l'ornière, avec la pluie qui gicle partout, l'eau qui gargouille. Je l'ai vu aussi tricoter des jambes, c'est vrai. »

Les joues livides prennent une sinistre couleur grise, et sa prunelle droite disparaît presque sous la paupière. Mais ce qui effraie encore plus Mouchette, c'est la bouche légèrement tordue, ce rien d'écume au coin des lèvres, devenues aussi grises que les joues. Elle s'est levée en chancelant. M. Arsène ne semble pas la voir. Pour poser la main sur le bras qu'il a replié contre la poitrine dans un énigmatique geste de défense, elle doit faire un grand effort, qui la laisse toute tremblante, la langue si sèche, si râpeuse qu'elle a peine à articuler un mot.

« Je dirai... que... j'étais cachée dans... le bois... que je vous ai vus... que le garde vous a... Ecoutez-moi, monsieur Arsène, je vous en supplie! Dois-je dire aussi qu'il était ivre? Vous pouvez vous fier à moi. Je les déteste, je leur tiendrai tête à tous. »

Il se détache lentement du mur, avance vers le fond de la cabane, les jambes raides, de quelques pas incertains. Il a l'air d'un enfant qui vient de se jeter au bas du lit, encore lourd du rêve inachevé.

« Petite, bégaie-t-il, j'y vois plus guère, voilà ma nuque qui se prend, sûr que je vais avoir ma crise. T'impressionne pas. Aie soin seulement que je ne cogne pas ma tête au mur. »

Il est tombé tout d'une pièce, terriblement,

comme un arbre. Elle a entendu sonner son menton sur la terre... Comment peut-on s'abattre ainsi sans se tuer? Puis elle a vu se creuser ses reins, il s'est retourné face au plafond, les yeux blancs, le nez pincé, plus blême que le reste de la figure. Et puis, voilà qu'il s'est raidi de nouveau, appuyé au sol de la nuque et des talons, avec un soupir étrange comme d'un soufflet crevé. La large poitrine, immobilisée dans le spasme, se dilate lentement, lentement, si fort que les côtes ont l'air de crever la peau. Il reste ainsi un moment, jusqu'à ce que de sa bouche tordue sorte un flot d'alcool, mêlé d'écume. Aussitôt ses traits s'apaisent, et, dans le calme retrouvé, gardent une telle expression de souffrance et d'étonnement qu'il ressemble à un enfant mort.

MOUCHETTE s'est accroupie auprès de lui, à la hauteur de ses épaules. Que faire? Elle n'a jamais vu de cadavre ainsi étendu, à même la terre nue, un mort sans lit, sans suaire, sans buis bénit dans la soucoupe de faïence, et le marmottement des vieilles femmes, des veilleuses funèbres, aussi affairées autour d'un cadavre qu'auprès d'une mère en couches. D'ailleurs, elle ne se sent capable de rien, la fatalité de ces événements incompréhensibles l'accable. Elle essaie vainement de les rassembler dans sa mémoire, ils s'y confondent en un désordre inextricable, capable d'engendrer l'épouvante si le sentiment qui l'attache ici n'était beaucoup plus fort que la peur. Elle a osé glisser une main entre la nuque du mort et le sol de terre battue.

Comme cette tête est légère! La moindre pression du doigt la fait tressaillir, l'incline à droite ou à gauche. Elle la presse le plus doucement qu'elle peut entre ses paumes, la soulève délicatement. Les paupières sont closes maintenant, la bouche esquisse une espèce de sourire. Elle l'essuie d'un coin de son tablier. Il lui semble qu'au-dedans d'elle sa vie sourit du même sourire. Elle ne souhaite rien. Si l'idée lui était venue alors de poser ses lèvres sur le front qu'elle effleure de ses mèches en désordre, elle l'eût fait. Mais elle n'y pense nullement. Son désir est comme la chaleur même de son corps vivant, répandu à travers ses veines, et ne se fixe en aucune image précise. Elle tient cette tête chérie ainsi qu'elle tiendrait n'importe quelle chose précieuse, avec la seule crainte de la perdre ou de la briser. Elle n'ose même pas la poser sur ses genoux.

Et tout à coup elle chanta.

Cela se fit si naturellement qu'elle ne s'en aperçut pas d'abord. Elle croyait fredonner entre ses dents un air entendu bien des fois, car l'immense phonographe au grotesque pavillon écarlate, installé à la fenêtre de l'estaminet, le répète invariablement chaque dimanche. C'est un air de danse — de danse nègre, a-t-elle ouï dire. Les paroles en sont incompréhensibles. Jusqu'alors, elle ne l'avait écouté qu'avec répugnance, mais il ne cessait de la hanter, au lieu que les airs favoris de Madame fuient à mesure sa mémoire. Parfois, en pleine nuit, lorsque l'ivrogne, en rentrant, poussant trop rudement la porte contre le mur, la tirait brusquement de ce noir sommeil qui, depuis qu'elle est femme, l'engloutit chaque soir, elle le fredonnait tout bas, avant de se rendormir, la tête enfouie sous les draps.

Aussi longtemps qu'elle se contentait de suivre par la pensée le rythme et la courbe de la bizarre mélodie, elle s'émerveillait d'y réussir, et cet émerveillement n'était pas sans angoisse. Il lui semblait qu'engagée sur une pente de neige, elle perdait presque aussitôt conscience de la vertigineuse descente. Mais lorsqu'elle s'enhardissait à fredonner, bouche close, le démon du chant qui s'emparait d'elle la laissait, le temps d'un éclair, tremblante, hébétée, dans une espèce de confusion inexplicable, ses petites mains froides gluantes de sueur, et le sang venant d'une poussée à sa tête, comme si elle se fût trouvée nue, tout à coup, devant une foule railleuse.

Et dans la maison silencieuse, indifférente aux ronflements de l'ivrogne, elle écoutait s'éteindre lentement, par degrés, ce chant imaginaire, et battre follement contre les côtes son cœur épouvanté.

Sa surprise fut si grande d'avoir cette fois surmonté sa crainte qu'elle l'emporta d'abord sur tout autre sentiment. Elle écoutait jaillir cette voix pure, encore un peu tremblante, d'une extraordinaire fragilité. Aucune expérience préalable ne lui permettait de comprendre que cette voix mystérieuse était celle de sa misérable jeunesse soudain épanouie, une revanche d'humiliations si anciennes que sa conscience les acceptait telles quelles, y trouvait parfois son repos, une inavouable douceur.

Cette voix était son secret. Le seul qu'elle pût partager aujourd'hui avec le bizarre compagnon étendu à ses pieds, vivant ou mort, mort sans doute. Elle le lui avait donné comme elle se fût donnée elle-même, si l'enfant ne l'eût encore chez elle emporté de loin sur la femme. Et maintenant qu'elle avait livré ce trésor, elle ne le reconnaissait plus. Elle écoutait monter son chant avec une humble ferveur, il rafraîchissait son corps et son âme, elle eût voulu y tremper ses mains.

Cela dura longtemps — à ce qu'elle crut du moins. Une minute peut-être, qui lui parut longue comme tout un jour. Brusquement la voix magique se tut. Et baissant les yeux, Mouchette s'aperçut que ses mains étaient vides.

M. Arsène se tenait debout en face d'elle, le visage encore barbouillé de terre. Une de ses lèvres, meurtrie dans la chute, saignait.

« Ben quoi? dit-il. A c't'heure, tu chantes? »

Il essaie de rire, mais ses yeux ont ce feu louche, cette insolite mobilité qu'on voit à ceux des bêtes traquées. Enfin, il passe une main sur son front, la retire pleine de sang et de boue.

« Faut donc croire que je l'ai eue, ma crise... C'est assez éprouvant pour les nerfs, mais pas grave. Mon père, lui aussi, tombait d'épilepsie. Du moins, je me le suis laissé dire, car je ne l'ai pas connu. »

Il épie la fille entre ses cils mi-clos. Visiblement, il s'applique à rassembler des images incohérentes. La crainte de se trahir l'empêche de poser la question qui finit par venir malgré lui à ses lèvres, bien que formulée avec prudence.

« Ecoute, dit-il, faudrait pourtant filer d'ici, ma belle? V'là déjà le plein de la nuit. »

Tout en parlant, il remet son cuir trempé, décroche le fusil, jette sur son dos la besace, et fait un pas vers la porte, sans cesser d'observer sournoisement sa compagne.

« Allons, viens! Je vas te remettre chez toi

en passant. Le père trouvera bien derrière les fagots un coup de genièvre pour nous deux. »

Elle ne se réjouit pas de le voir debout. La fatigue, le froid, l'alcool qui brûle encore son estomac vide, la maintiennent dans une sorte de demi-sommeil. Elle a d'abord pris docilement la main de son étrange ami. Voilà tant d'années qu'elle n'a tendu à personne cette petite main! Elle a mis dans ce geste naïf toute la ferveur dont son cœur est plein.

« Où allons-nous maintenant, monsieur Arsène?

— Où veux-tu qu'on aille, petite? A la maison, dame!

— Et votre... et le garde?... La police, monsieur Arsène! »

Elle a presque crié le dernier mot, car le regard de son compagnon n'est pas un regard ordinaire. Dieu! Tout son sang reflue vers sa poitrine, l'étouffe.

« La police? »

Il recule lentement vers le fond de la cabane, tête basse.

« Attends donc un peu, dit-il. Patiente. Après mes sacrées crises, je perds le fil. Bouge pas, fillette. Ça me reviendra dans un moment. »

Il jette les restes du fagot sur la cendre. Le bois est si sec qu'il l'allume avec son briquet. Accroupi devant l'âtre, il étend les mains vers la flamme. Elle s'agenouille près de lui.

« Voyons, monsieur Arsène, le garde que vous avez...

— Tais-toi! fait-il. Tais ton bec! Nous avons eu des mots, lui et moi, sûr... Après... Ben, après, nous avons bu le coup ensemble. »

Elle se lève à demi, son visage est tout près du sien. Elle n'y prend pas garde.

« Monsieur Arsène, supplie-t-elle, rappelez-vous? Il est tombé. Voyons! la face dans l'ornière, qu'est devenue rouge? Vous l'avez tué, crie-t-elle, avec un affreux sanglot.

— Possible! Avec quoi je l'aurais tué, d'abord? Avec mon fusil?

— Avec le piège, monsieur Arsène; vous avez pris le piège par le ressort et... »

Il réfléchit un long moment, la tête entre ses mains.

« Le piège... Vrai que j'étais allé le déterrer, ma fine... En cela tu dis vrai, petite. Mais pour ce qui est de Mathieu... Sûr que nous avons bu un coup ensemble. Après... Après. Qu'est-ce qui peut savoir? Nous étions soûls, ma belle. »

Il s'est arrêté brusquement, comme frappé

d'une pensée subite qu'il ne peut former tout entière, qui vient mourir au bord de son regard. Adossé contre la porte, il semble barrer le seuil de ses deux bras étendus. La fille, du moins, l'imagine. L'épouvante était déjà en elle. Il n'a fallu que ce geste pour qu'elle s'emparât brusquement de son pauvre corps exténué.

« Laissez-moi passer, monsieur Arsène, s'écrie-t-elle, d'une voix suppliante.

— Te laisser passer? Où que t'iras, de ce pas, en pleine nuit?

— Chez nous, monsieur Arsène, droit chez nous, je vous jure! »

Il l'observe sans colère, mais avec une attention tranquille, sûre d'elle-même, comme il examine à la lisière du bois, parmi les feuilles mortes, une trace connue de lui seul. « Je sens le gibier, » a-t-il coutume de dire. Ni colère, ni pitié, dans son regard pensif.

« Je me souviendrai de tout, monsieur Arsène, n'ayez crainte! Et demain aussi vous vous souviendrez de tout, c'est la boisson maintenant qui vous empêche, il faut dormir. S'ils m'interrogent avant que je vous aie revu, je raconterai que...

— Minute! s'écrie-t-il. De quoi que tu vas te mêler là? Si tu touches un mot de cette histoire à qui que ce soit, je te tords le cou, parole d'honneur! »

Sa voix paraît soudain terrible à Mouchette, parce qu'elle est maintenant basse et rauque. Mais pour rien au monde, elle ne quitterait la place. Fuir n'est plus possible; elle a moins peur des coups.

« Monsieur Arsène, commence-t-elle, j'aimerais mieux me tuer que de vous nuire. »

Elle n'a pas besoin d'achever. Son mince visage exprime une résolution si merveilleuse que l'ivrogne la considère avec surprise. Dans le silence qui suit, elle croit entendre bondir son cœur dans sa poitrine.

« Ecoute, dit-il enfin avec la gravité de l'ivresse — et sa voix se fait encore plus basse — pourquoi as-tu si grand-peur de me nuire, petite? »

Elle essaie de répondre, mais c'est tout juste si elle peut avaler sa salive.

« Pour une fille de ton âge, tu ne manques pas d'esprit. Tu serais bien capable d'en remontrer à de plus vieilles. »

Les braises du foyer noircissent une à une. Il ne reste plus qu'une lueur étrangement douce qui semble venir de partout à la fois. La grande ombre de M. Arsène se distingue à peine sur le mur. Il n'est plus lui-même qu'une ombre, mais on voit encore briller son sourire, le sourire de ses dents blanches.

« J'ai toujours eu de l'estime pour toi, commence-t-il, en faisant claquer sa langue. »

Cette fois Mouchette ne s'y trompe pas. Elle a reconnu l'accent de cette bouche invisible, la voix comme suspendue dans la nuit, et si terriblement proche. Drôle de voix! Elle a eu ce tremblement, cette sorte de frémissement velouté, avec on ne sait quoi, tout à coup, de grimaçant, une note fausse et fêlée. Les mots les plus simples, les plus inoffensifs, ne s'y reconnaîtraient plus, ressembleraient à ces masques de carton entrevus dans les foires.

Ainsi parlent les garçons, à travers la fumée des pipes, la buée des bistouilles, un soir de ducasse, lorsque Mme Aufray l'embauche pour laver les tasses. Bien des filles, avant l'âge de l'amour, n'y prêtent guère attention, l'écoutent sans crainte ni dégoût. Et plus tard, crainte ou dégoût, elles l'étoufferont dans ces grands éclats de rire nasillards qui leur mettent le feu aux joues... Il en est de cette voix comme des odeurs de la misère. A de rares moments, elles incommodent ou humilient. Mais pourvu qu'on les accepte sans révolte, elles deviennent l'un des éléments familiers de la vie quotidienne, ne se distinguent plus de la tiédeur et de la sécurité du pauvre nid.

Le silence est retombé entre eux, un silence aussi louche que le reflet de l'âtre. Quelle force cloue Mouchette au sol? Elle ne songe pas à fuir, bien qu'elle ne soit plus qu'attente angoissée, terreur. Attente et terreur physiques, charnelles, car à cette minute fatale qui va décider de son destin, alors que s'étend déjà sur sa tête orgueilleuse le voile funèbre, elle est bien incapable de la moindre prévision consciente. Mais l'homme qui est là devant elle, dont elle sent déjà le souffle sur sa nuque, est le seul devant lequel — fût-ce pour sauver sa vie — elle ne voudrait pas fuir.

Elle lui échappe cependant d'un premier bond si brusque qu'il chancelle, se raccroche gauchement au mur. Peut-être eût-il suffi à ce moment d'une parole pour en imposer à l'ivrogne, mais pas une syllabe ne sortirait de la gorge contractée. Les dents de la fille sont si serrées qu'elle en entend le grincement. Il jette sur elle, au hasard, ses mains violentes auxquelles le paroxysme du désir prête une force effrayante, une diabolique sûreté. Elles ne peuvent pourtant maîtriser les reins ployés en arc, elles les briseraient plutôt. Il la repousse brutalement contre le mur. Le choc la plie en deux, lui arrache un bref gémissement. Ce fut d'ailleurs le seul qui s'échappa de ses lèvres. Les dernières braises croulaient dans la cendre. Il n'y eut plus rien de vivant au fond de l'ombre que le souffle précipité du bel Arsène.

Elle s'est roulée en boule dans une touffe de genêts où elle ne tient guère plus de place qu'un lièvre. Le sable, raviné par la pluie, se creuse sous son poids, en sorte qu'elle y disparaît presque tout entière. La fraîcheur qui monte du sol lui semble douce. Retenant son haleine, elle sonde les ténèbres, avec un extraordinaire sang-froid.

La cabane n'est pas loin et, parfois même, elle croit distinguer sa masse, de l'autre côté du creux rempli d'eau, entre les arbres clairsemés. M. Arsène est-il encore là-bas? Nul signe n'y révèle maintenant sa présence. Il ne l'a poursuivie que quelques pas, et sans doute s'est-il heurté à l'une des souches taillées en biseau, car il a poussé un furieux juron. Puis elle a entendu longtemps son pas furtif. Un moment même, il a dû passer tout près, derrière elle. Mais elle n'a pas tourné la tête, son cœur n'a pas battu plus vite.

Enfin, après un long silence, il s'est mis à l'appeler, d'une voix d'abord humble, presque honteuse, et soudain pleine de colère. Le pis est qu'elle ignore s'il n'est pas toujours à la même place — à la place qu'elle devine, d'où la vue commande les deux sentiers. Par bonheur, la nuit est noire, et d'ailleurs elle attendra le temps qu'il faudra, rien ne presse...

La douleur l'occupe, une douleur qui retentit dans ses os, semble plonger à la racine de la vie. Dans le village, elle passe volontiers pour une « dure ». Mais cette souffrance-là ne peut se comparer à aucune autre. Si peu accoutumée à s'examiner elle-même, Mouchette n'a guère eu le temps jusqu'ici de réfléchir aux subtiles distinctions du physique et du moral, à leurs rapports secrets. Elle endure patiemment, sans la comprendre, une douleur si parfaitement, si également répandue dans chacune de ses fibres qu'arrivée à son paroxysme, elle paraît se dissoudre, se fondre en un horrible écœurement.

Elle se dresse sur les genoux, étouffant un sanglot, un terrible sanglot sans larmes. Elle écoute encore. Aucun autre bruit que l'universel égouttement des taillis trempés. Néanmoins elle n'ose pas d'abord tourner le dos à la cabane invisible, elle s'en éloigne à reculons, s'arrête une dernière fois. Le sentier est maintenant là, sous ses pieds, elle le distingue mal, mais elle pourrait presque en suivre les détours grâce au murmure tantôt croissant, tantôt décroissant de l'eau qui court le long de l'ornière. Elle se laisse enfin glisser jusqu'en bas.

Dès qu'elle a senti sous ses semelles le sol plus ferme, une force irrésistible la jette droit devant elle, à travers les taillis. D'abord, elle essaie d'écarter de son visage les minces branches encore assouplies par l'averse, puis elle n'y prend plus garde. Elle court, tête baissée, avec une faible plainte, celle de l'animal poursuivi qui donne son suprême effort, réussit à détendre une dernière fois ses muscles contractés par l'épouvante de la mort jusque sous la gueule des chiens.

Elle ne s'arrête qu'à la lisière du bois, au bord de la grande route goudronnée, dont tous les creux remplis d'eau luisent, à perte de vue, faiblement.

DEUXIÈME PARTIE

Elle a eu beau ouvrir avec précaution la barrière de bois dont l'unique gond rouillé grince toujours, son pied a heurté par malchance le seau dans lequel on brasse la bouillie de son pour les poules. La mère a le sommeil léger. Dès que Mouchette pousse la porte, elle appelle :

« C'est toi? D'où que tu viens? »

Il y a dans la voix familière on ne sait quoi que l'enfant ne reconnaît pas, qui a frappé son oreille du premier coup.

« T'arrives bien tard, poursuivit la voix. Mais je ne sais pas l'heure qu'il est, la fatigue m'a prise sitôt le souper. Ton père et tes frères sont dehors. Tâche de trouver de la braise, et fais chauffer un peu le lait au petit. Je n'ai pas pu lui donner à boire, vrai, je suis trop lasse. »

La cendre est froide depuis longtemps, et il n'y a plus d'allumettes à la maison, car le père rafle la boîte, avant d'aller passer la nuit au cabaret. Tant pis! Le frère devra se contenter du biberon froid, qu'elle glisse d'ailleurs, comme d'habitude, pour l'attiédir, au creux de son corsage.

C'est un geste qu'elle a fait bien souvent. Mais cette fois, au contact familier de la bouteille — un demi-setier au goulot trop épais pour la tétine distendue — elle a frémi de la tête aux pieds, d'un frisson sauvage qui l'a laissée toute tremblante. Le courage lui a soudain manqué d'attendre plus longtemps et, pliée en deux, elle a été chercher sur sa paillasse le gros bébé à la chair blême et bouffie.

Jusqu'alors, elle n'a senti pour son cadet qu'un sournois et rancuneux dégoût, car le dernier-né d'une race d'alcooliques, après avoir crié la nuit entière, ne s'endort d'habitude que bien après le lever du soleil, assommé par la lumière, dont il détourne avec épouvante ses yeux globuleux, demi-cachés par de paresseuses paupières aux cils rares et roux. Dégoût qu'elle se garde d'exprimer, par crainte des coups, et aussi parce qu'elle descend d'une lignée de mères résignées, soumises au marmot comme à l'homme. Elle ne songe pas à mettre en doute le droit qu'un enfant criard exerce sur ceux qui l'entourent, du fait même de son impuissance à l'imposer autrement.

Mais aujourd'hui, d'un mouvement irréfléchi comme d'un noyé qui s'enfonce, elle a pris à plein bras le paquet de chiffons fumant d'urine et de lait aigre et, sitôt qu'elle l'a senti frémir doucement contre ses jeunes seins, elle a couru s'asseoir sur l'escabeau, à l'autre extrémité de la pièce, derrière la porte entrouverte du bûcher.

Surpris par la brusquerie de l'étreinte, l'enfant a tourné lentement vers elle son visage mou avec une expression misérable de vague crainte, d'immense ennui. Après quoi, il s'est blotti, jetant au hasard ses lèvres toujours gluantes d'une salive intarissable. Ses mains tâtent l'étoffe du pauvre corsage, et le regard de Mouchette les suit. A la faible lueur de la veilleuse, posée dans un creux du mur, elle a vu sa maigre poitrine qui est déjà celle d'une femme. Est-ce une ombre, là, un peu au-dessous du sein gauche? Les cinq petits doigts hésitants de l'enfant s'y posent et, aussitôt, elle n'y tient plus, elle pleure tout bas, à brefs sanglots. Les larmes coulent sur la bouteille et les joues du nourrisson qui grimace sous cette pluie tiède.

La mère n'a sûrement rien vu ni rien entendu, car elle dit au bout d'un instant :

« Tu trouveras sur la corde un carré de linge que j'ai savonné hier soir. Faudrait pas qu'il reste toute la nuit dans son mouillé, autrement il gueulera, sûr, et vrai de vrai, la tête me manque, je ne pourrais pas me tenir debout. Tu m'entends, fillette? »

Elle prête encore l'oreille, cherche à comprendre... C'est vrai que la voix n'est pas la même, avec cet accent de résignation exténuée qui la fait toujours criarde, faussement irritée, soit qu'elle parle aux gens, au bétail, au chat voleur, ou même aux choses, à l'écuelle brisée, au lard rance. Mouchette la trouve douce, presque tendre. Elle n'a pas l'air de s'accorder avec les mots, comme si d'autres mots venaient à la pensée que la mère n'ose pas dire, qu'elle ne dira qu'à son heure.

Avant de changer le petit, Mouchette se frotte les joues avec le chiffon de grosse toile qui, malgré le récent savonnage, empeste encore l'alcool. Puis elle traîne sa paillasse un peu plus loin, s'étend dessus tout habillée, après avoir retiré ses galoches lourdes d'une boue sylvestre qui sent la feuille pourrie et les aiguilles de pin.

D'ordinaire, selon le mot de Madame qui blâme au nom de l'hygiène cette funeste habitude — le livre de leçons de choses a un chapitre sur le sommeil, recommande la position dorsale, tête au nord, pieds au sud, dans le sens du courant magnétique, — elle dort pelotonnée sur elle-même, en « chien de fusil ». Mais à peine a-t-elle aujourd'hui replié les bras contre sa poitrine qu'elle les éloigne vivement, les jette à droite et à gauche.

C'est un geste farouche, irraisonné. Son mince petit visage, déjà touché par le sommeil, paupières closes, esquisse une grimace de dégoût. Et même un peu plus tard, ayant sombré dans l'inconscience d'un seul coup, tandis que sa respiration profonde et calme est celle de chaque nuit, ses mains ne pardonnent pas, refusent de toucher le corps haï, restent crispées à la paillasse.

Elle s'est réveillée en larmes, ou plutôt ce sont les larmes qui l'ont réveillée. Elles coulent de son menton dans son cou, elles ont trempé sa chemise. Son premier sentiment est moins de surprise que d'effroi, car elle n'a pas pleuré depuis bien longtemps, ou ces rares larmes de rage qui brûlent les yeux, sèchent à mesure sur les joues. Et surtout elle n'a jamais pleuré en rêve. Pleurer en dormant! D'où viennent ces larmes dégoûtantes?

La mince couverture a glissé par terre, elle

sent de nouveau ce froid dans les os qui délie sa volonté, lui ôte jusqu'au souvenir de son malheur. Elle se lève à demi, et la douleur lui arrache un cri de colère. Du moins, le flot de larmes s'est tari, tandis qu'elle achève de s'asseoir, les genoux ramenés sur son ventre et les bras ceignant ses genoux, dans la posture qui lui est familière, lorsqu'elle s'efforce d'apprendre ses leçons. Un moment, elle lutte encore contre le sommeil, et soudain...

Heureuses les filles que la première étreinte laisse dans le remords, ou dans n'importe quel sentiment assez fort pour éveiller en elles autre chose que cette informe angoisse, que cet écœurement désespéré! Pour réfléchir à sa dérisoire aventure, Mouchette fait un effort absurde. Elle ne réussit qu'à précipiter le cours des images hagardes qui lui donnent l'impression de ces cauchemars interminables, d'une affreuse monotonie dans l'horreur, qu'en vraie fille d'ivrognes il lui arrive de subir une nuit entière, et dont elle ne s'éveille parfois réellement que bien plus tard, à l'heure du souper, l'ayant portée tout un jour, ainsi qu'une bête invisible attachée à ses flancs.

La fuite de l'école, l'attente au bord du chemin, sa course errante à travers les taillis dans la grande colère du vent et le flagellement de la pluie, la rencontre de M. Arsène — cela n'arrive pas à faire une véritable histoire, cela n'a ni commencement ni fin, cela ressemblerait plutôt à une rumeur confuse qui remplit maintenant sa pauvre tête, une sorte de chant funèbre. Et quand cette rumeur se tait, monte tout à coup du silence, ainsi que d'une insondable nuit, du silence de tous ses sens, une certaine voix devenue presque inintelligible et qui prononce son nom, le nom de Mouchette, une voix si basse qu'elle peut à peine l'entendre, si familière, unique, qu'avant même que ses oreilles les aient perçues, les deux syllabes ont comme retenti dans sa poitrine. Car M. Arsène n'a prononcé son nom qu'une fois, au moment où...

Etait-ce même son nom? Cela tient du sanglot de l'homme et aussi du grondement de frayeur mêlée de colère, de l'animal menacé dans son gîte. Dieu! c'est vrai qu'elle résiste bien à la souffrance mais il lui est arrivé « d'avoir son compte », comme dit le père. Alors, elle se couchait sous les coups sans honte, souhaitait d'être morte, incapable de rancune envers son bourreau, liée à lui par une sorte de sentiment inexplicable, obscurément solidaire de sa férocité, comme si elle partageait sa haine. C'étaient là des circonstances de la vie à quoi elle ne pouvait songer sans amertume. Mais, du moins, l'humiliation passée, elle recommençait à penser aux revanches futures, sentait renaître cet orgueil que rien, semblait-il, n'eût pu détruire sans la détruire elle-même. Et maintenant, cet orgueil achevait de mourir. Il était mort. Pourquoi?

Le jour devait être loin encore, et cependant, du côté du village, elle entendait les coqs se répondre. Tout à l'heure, il faudrait se lever, faire face. L'idée de disposer d'un autre secret que le sien — celui-là mortel — d'affronter bientôt la police, de décider de la liberté, peut-être de la vie d'un homme, ne pouvait la détourner un moment de son obsession. Elle n'avait aucun désir de vengeance.

La susceptibilité ombrageuse, qui lui vaut de Madame tant de reproches, éloigne d'elle ses compagnes, l'enferme dans le silence, eût dénoncé à des regards plus lucides l'âpre conscience qu'elle a depuis longtemps de sa misère, d'une misère aussi infranchissable que les murs d'une prison. Hier encore, elle aurait volontiers convenu qu'une fille de son espèce doit se résigner tôt ou tard à l'inévitable, subir l'injure de l'homme.

Ses compagnes, que déconcerte sa réserve hargneuse envers les garçons, l'accusent de prendre beaucoup plus d'intérêt qu'elle ne le prétend à leurs intrigues. Elles la traitent volontiers de sournoise. C'est vrai que rien ne lui échappe, qu'elle les épie avec une curiosité douloureuse qu'elle prend parfois pour du plaisir. Ce qui s'éveille alors en elle lui demeure comme étranger : elle assiste, le cœur crispé, au monotone déroulement des seules images — toujours les mêmes — que lui fournit son expérience, à la fois précoce et naïve, du vice, puis tout rentre instantanément dans les ténèbres, il ne lui reste qu'un malaise confus, indéfinissable, pareil à celui qui suit les rêves dont la mémoire n'a rien retenu, bien que la sensibilité garde longtemps leur empreinte.

Un jour du dernier automne, le maréchal Pourjat, qui fait aussi commerce de peaux et à qui le père vend ses putois et ses fouines, l'a bousculée un peu vivement au fond de l'étable obscure, empestée, où il garde sa marchandise. Elle a laissé entre ses mains énormes un morceau de son jupon. Bien qu'elle se soit, naturellement, gardée de rien dire, le commis de la forge a parlé. Il a fallu que M. Pourjat vienne apaiser lui-même le père, tout brûlant d'alcool et de zèle paternel, qui menaçait de porter plainte auprès du garde champêtre. De cette scène mémorable, elle a retenu que la loi protège les filles de son âge, que pour un temps encore elle jouit d'un privilège devant lequel s'incline un homme tel que M. Pourjat, qui est l'ancien adjoint au maire, et trinque avec le député.

Ainsi, peut-être, l'instinct qui n'était au fond d'elle-même qu'endormi s'est éveillé lentement, lentement s'est formée dans son cerveau têtu la seule fierté dont elle soit capable, et pour laquelle, sans doute, elle est née. Qui prononcerait devant elle le mot de virginité la ferait sourire niaisement. Celui de pureté n'évoque guère que l'image physique d'une eau claire, ou, plus naïvement encore, celle des belles jeunes filles que chaque été ramène dans les châteaux d'alentour, vêtues d'étoffes fraîches, avec leurs mains longues qui s'attardent aux portières des voitures, leurs voix rieuses et douces. Mais, sans doute, ce grand orgueil qu'elle a nourri en secret, l'orgueil affamé auquel nul être au monde n'a jeté l'aumône d'une vraie joie, qu'elle a dû nourrir à ses dépens, nourrir de sa propre substance, a-t-il trouvé dans la puérile et brutale révélation de l'intégrité physique ce qui lui manquait pour s'épanouir?

De ce corps chétif, souvent marqué de coups, griffé par les ronces, tanné par les bises d'hiver et que la mère habille de jupes ridicules taillées dans ses vieux caracos, elle ne tire aucune vanité. Sa pudeur farouche n'a rien de commun avec cet autre sentiment qui, à travers les siècles, doit infiniment plus aux peintres et aux poètes qu'au profond instinct de défense dont on le croit issu. Quelle jolie fille, tout occupée, dès avant que s'éveillent les sens, de l'adoration de soi-même, n'est prête à nommer pudeur la révolte de sa délicatesse contre les humiliantes nécessités auxquelles se trouve, en dépit des efforts concertés du parfumeur et du couturier, assujettie son idole?

Mouchette n'a jamais connu ces dégoûts. Elle s'émerveille seulement qu'une fille puisse refuser sa jeunesse, et que cette jeunesse ne se donne qu'une fois. La valeur du don ne lui importe guère. Elle supporte volontiers qu'il soit à la mesure de sa pauvreté, pauvre comme elle. Qu'on l'implore d'elle serait déjà une humble revanche. Mais au fond de son cœur, hier encore, une voix secrète lui disait qu'elle l'offrirait un jour.

Certes, elle est bien incapable de former clairement de telles pensées. L'image de M. Arsène flotte incertaine, ainsi qu'une épave, au fil de son rêve. Il lui semble parfois que le regard du braconnier fixe le sien avec une expression d'indifférence hautaine, de mépris, et aussitôt le sang lui saute au visage, puis paraît s'écouler d'un seul coup dans sa poitrine glacée... L'outrage qui lui a été fait l'a comme surprise dans l'exaltation de son humble ferveur, et elle ne peut ressentir pour le ravisseur de sa chair une véritable haine, une haine de femme. Le souvenir de la violence subie se confond, dans sa mémoire puérile, avec tant d'autres. Sa raison ne la distingue guère des sauvages corrections de l'ivrogne. Mais la honte qui lui en reste est d'une espèce inconnue car, jusqu'ici, elle a craint et méprisé ses bourreaux. Tandis que M. Arsène demeure là où son admiration l'a placée, une fois pour toutes, une fois pour toujours. O maudite enfance, qui ne veut pas mourir!

Elle a lutté longtemps contre sa peine. Elle épie aux carreaux crasseux le reflet de l'aube. Le désir lui vient de voir son visage, ses yeux. Il lui semble qu'elle reprendrait courage si le morceau de glace brisée, seul miroir dont elle dispose, lui donnait la preuve que rien, comme d'habitude, ne peut se lire sur son front têtu.

N'a-t-elle pas souvent observé avec étonnement, presque avec terreur, le mensonge d'autres visages, encore chauds du dernier baiser, leurs insolents regards? Que de fois, en allant tirer le cidre à la cave de l'estaminet, elle les a vus surgir de l'ombre, au fond des salles vides, que la rusée cabaretière, les jours de ducasse, oublie exprès de fermer à clef!

Mais nulle ressemblance, hélas! entre ces visages et le sien, ce n'étaient plus des visages d'enfant. « Une si petite figure, dit Madame, qu'elle tiendrait dans le creux de ma main! » M. Arsène, ni personne, ne pourrait prendre au sérieux cette figure-là. Tout ce grand espoir qu'elle a eu, si grand qu'il n'était sans doute pas à la mesure de son cœur, qu'elle n'en a tiré aucune vraie joie, qu'elle ne garde que le souvenir d'une attente merveilleuse, à la limite de l'angoisse, tout ce grand espoir n'était donc que le pressentiment d'une humiliation pire que les autres, bien que de la même espèce. Elle est allée seulement plus profond, si profond que la chair elle-même y répond par une souffrance inconnue, qui rayonne du centre de la vie dans le pauvre petit corps douloureux. Cette souffrance aura beau finir, l'empreinte ne s'effacera plus. C'est le secret de Mouchette. Nulle confidence future ne saurait la délivrer de ce secret-là, car la malheureuse ne dispose que d'un certain nombre d'idées élémentaires que son vocabulaire est encore trop court pour exprimer. Ce secret restera celui de sa chair. Ah! si elle était sûre que M. Arsène la déteste! Mais il ne la déteste pas. Elle n'a qu'à fermer les yeux, elle l'entend : « J'ai toujours eu de l'amitié pour toi... »

Ces mots comme prononcés par une bouche invisible la jettent littéralement hors de son lit. Elle reste là, pliée en deux, une main appuyée contre le mur, l'autre sur son ventre. Ah! si elle avait deux ans de plus — un an peut-être! — M. Arsène ne l'eût pas ainsi traitée. D'ailleurs, elle se serait défendue. De plus, il était ivre. Un homme ivre sait-il seulement ce qu'il fait? L'année dernière, des garçons que les gendarmes n'ont pas retrouvés, mais dont tout le village répète les noms, ont mis à mal le jour du tirage au sort la vieille Chaudey, une espèce de folle qui vit dans une cabane en fagots et qui a eu, de pères divers, restés inconnus, six enfants élevés dans le tiroir d'une antique commode, avec du pain trempé de cidre doux...

Elle n'arrive plus à pleurer, elle a trop honte d'elle, de son mal, elle se hait trop. Ce n'est pas de sa faute qu'elle a honte, non! Elle hait sa déception fondamentale, la hideuse erreur où a sombré d'un coup sa jeunesse, sa vraie jeunesse, celle qui, hier encore, attendait de se détacher de l'enfance, de naître au jour, unique occasion perdue — ô souillure ineffaçable!

L'humidité glacée de la terre monte le long de ses jambes, car le sol n'est que d'argile battue, et le vent passe sous la porte. La meurtrissure de sa poitrine, longtemps indolore, commence à vivre, le sang y bat. Non, il ne sera plus possible d'affronter le regard de Madame, ce regard indifférent, dédaigneux, qui ne saura rien de son secret. Plutôt la défier, les défier tous! Le mensonge n'a jamais paru répréhensible à Mouchette, car mentir est le plus précieux, et sans doute l'unique privilège des misérables. Mais dissimuler cette fois blesse trop cruellement son orgueil. Elle préférerait n'importe quoi aux jours médiocres qui l'attendent.

Dans sa pensée puérile, l'assassinat du garde et le viol d'une fillette de quatorze ans sont au regard de la justice deux fautes jumelles, également réprimées par la loi, cette loi mystérieuse dont les pauvres paient la protection si cher. En sorte que son témoignage ne pourra rien pour l'homme qu'elle aime. Et d'ailleurs elle n'a jamais cru sérieusement qu'il attendait les gendarmes. Un garçon tel que lui leur échappe toujours. A cette heure même, il est loin sans doute. A moins que, tapi dans quelque retraite plus sûre, il n'invente d'autres ruses efficaces; la justice est si facile à duper! Et du fond de son cœur elle souhaite la mort de Mathieu.

« Qu'est-ce que tu fais là debout? » dit la mère.

D'abord, Mouchette n'a rien répondu. La nuit est si épaisse qu'elle s'y sent comme derrière un mur. Il faut que la mère l'ait entendue seulement. D'habitude, pourtant, elle n'a pas l'oreille si fine.

« C'est que je ne vais guère, reprend la voix. Prends une chandelle dans le tiroir. Tu trouveras peut-être une boîte d'allumettes dans la vieille culotte de ton père. Il est parti avec son pantalon neuf. »

A la lueur de la bougie, elle distingue confusément le visage de la pauvre femme, et d'ailleurs elle n'y prête guère attention. Depuis des mois, chacun s'est habitué à son mal — la patiente exceptée, sans doute. Lorsque le père et les garçons la trouvent le matin, à l'aube, assise sur l'escabeau, vêtue seulement de sa chemise et de son jupon malgré le froid, balançant le buste d'avant en arrière, puis de gauche à droite, d'un geste monotone, comme pour endormir un nouveau-né — c'est ce mal qu'elle endort — ils ne l'interrogent plus, pas la peine! Ils se contentent de délier eux-mêmes le fagot, en maugréant, et de faire chauffer le café. La malheureuse, gênée par leur silence, finit, en manière d'excuse, par geindre un peu, lèvres closes. On croirait qu'elle chante. Parfois, elle dit, d'un ton qui appelle une réponse : « C'est mon mauvais mal, faudrait que je demande au docteur. » A quoi ne fait écho qu'un grognement inintelligible, car les misérables ne s'intéressent guère aux maladies chroniques dans lesquelles ils reconnaissent une misère de plus, aussi fatale que les autres, à quoi les médecins ne peuvent rien.

La vieille femme a pensé comme eux jadis, elle a résisté longtemps. Aujourd'hui, elle n'est pas à bout de patience, non. Elle a peur. Cette douleur au bras, à l'épaule, elle la supporterait peut-être. La retrouver toujours, après de brefs répits, toujours si semblable à elle-même, tantôt brutale, tantôt sournoise, commence à lui inspirer une espèce d'horreur craintive, qui la ramène peu à peu à l'enfance. Oh! elle n'espère pas du médecin grand secours! Les médecins, comme les vétérinaires, coûtent gros et n'apportent qu'un bagage de paroles. Mais il lui semble justement que parler de son mal la soulagerait beaucoup, car les rares commères sont maintenant lasses de l'entendre, se contentant de hocher la tête d'un air gêné. Le médecin, seul, l'écouterait volontiers, un très jeune docteur qui ressemble à une fille, et qui a des mains de sage-femme, des mains blanches. Elle ne l'a d'ailleurs vu qu'une fois, chez l'épicière, qui souffrait, elle aussi, d'un mauvais mal. Depuis, quand elle s'ennuie trop, elle rêve de lui.

N'importe! Bien qu'elle ait souvent tenu tête au père, un homme est un homme : elle n'oserait pas, selon son expression favorite, « prendre sur elle d'appeler le médecin », bien que l'ivrogne dépense chaque semaine le prix d'une visite, sans parler du temps perdu. Et l'ivrogne ne s'y trompe pas : il continue de se taire, non par méchanceté, non plus par avarice, mais par cet entêtement stupide qui lui tient lieu de réflexion, qu'il prend pour la réflexion. Et peut-être aussi parce qu'il a toujours vu les femmes souffrir sans se plaindre.

Ce ne sont pas ces traits, pourtant défigurés, qui retiennent l'attention de l'enfant, mais il y a dans la voix de la mère une tendresse incompréhensible, insolite. Les mots qu'elle prononce sont des mots très ordinaires et cependant ils ont un accent d'humble sollicitation, de prière, qui laisse Mouchette stupide, la chandelle au bout de son bras tremblant.

« Prends garde aux taches! dit la vieille sans se fâcher. Colle la chandelle au mur. Ça fait plaisir d'y voir, que veux-tu, quand on souffre! »

Elle essaie de s'asseoir, et aussitôt son visage se vide de sang. Une longue minute, elle se tait, mais elle paraît avoir aussi peur du silence que de la nuit.

« Viens-t'en, fait-elle en découvrant son bras nu. Ça me tient là, jusqu'au milieu de la poitrine. Tu dirais qu'en dedans, c'est de la pierre, aussi dur. Et qu'y faire? »

Sans doute les derniers mots n'ont-ils que le sens vague d'une interjection quelconque. Pourtant Mouchette pourrait presque croire que la mère lui demande conseil. Elle essaie en vain de trouver une réponse, et se balance niaisement d'un pied sur l'autre.

« Tâche de rallumer du fagot, s'il en reste, poursuit la malade. Quand ton frère a eu sa colique, rien ne l'empêchait de braire, sinon ce cataplasme d'amidon que je lui ai mis. Fais de même. A mon idée, la chaleur est ce qu'il me faut. Prends garde seulement d'éveiller Gustave, une fois en train, tu le connais, il n'arrêterait plus. »

Mouchette s'affaire au fond de la pièce. Elle revient, tenant au bout des doigts la boîte de fer-blanc, vide.

« Y a plus d'amidon, m'an! »

Elles se sont regardées un bon moment, et les yeux anxieux de la mère se détournent tandis qu'elle essaie d'affermir sa voix.

« Prends de la farine, dit-elle, c'est tout de même. »

De la farine! On a dû l'acheter hier soir au commis qui passe en voiture, chaque samedi. C'est la provision de la semaine.

« Ne la brade pas quand même! ajoute la malheureuse. Mets ce qu'il faut. Un cataplasme grand comme les deux mains, pas plus... Aïe! Aïe! presse-toi, petite. »

Elle a poussé encore un ou deux soupirs, puis s'est tue. La casserole est vieille, et Mouchette prend bien garde que la farine n'attache. Elle la tourne sans cesse avec un manche de bois. L'odeur de la bouillie monte à ses narines, descend jusqu'à son ventre. Dieu, qu'elle a faim! En étalant son cataplasme sur un morceau de chiffon, elle ne peut résister à la tentation de porter à la bouche son doigt barbouillé de pâte fade.

La mère a déjà découvert sa poitrine, avance docilement le bras malade. En quelques minutes, son visage s'est décomposé d'une manière merveilleuse. La peau s'en est comme tendue sur les os et, à chaque saillie la lueur dansante de la chandelle la fait briller ainsi qu'un masque de cire. Le nez surtout semble s'être prodigieusement allongé. Les narines pincées le font paraître pointu.

Au contact du cataplasme brûlant, elle a poussé un petit cri. Déjà Mouchette tourne le dos. Elle lui dit humblement :

« Reste là, petite. Je crois que la chaleur ne va pas me nuire, je respire mieux. Sans toi, tout à l'heure, je pourrai jamais souffler la chandelle, ma pauvre Doudou. »

Doudou! Mouchette ne se souvient pas que sa mère l'ait plus de dix fois appelée de ce nom, et voilà bien longtemps. C'était le sobriquet préféré du grand-père, un ancien mineur du pays de Lens, qui faisait un peu honte, car nul n'ignorait dans le pays qu'il avait tiré cinq ans de travaux, là-bas, en Guyane, pour une affaire obscure, un péché de jeunesse, comme on dit.

Au retour, il se vantait d'avoir gagné sa vie

dans les foires, lutteur fantaisiste, n'exhibant au seuil de la baraque qu'un torse grêle, mais décoré d'admirables tatouages en trois encres. Puis il s'était enfoncé plus bas, jusqu'au jour où la mère épouvantée l'avait vu paraître, fantôme vieilli, méconnaissable, vêtu d'une chemise et d'une culotte militaires, chaussé d'énormes souliers de même provenance, et tout son avoir dans une serviette qui portait, imprimé en lettres rouges, le nom du buffet de la gare de Dijon. Il n'était, d'ailleurs, resté que six mois chez sa fille, dévoré par une phtisie tardive, compliquée d'asthme et d'emphysème, qui faisait de sa respiration un horrible gargouillis jugé dégoûtant par tous, sauf par Mouchette, alors âgée de cinq ans. « Ecoute, mon petit oiseau, Doudou! » disait-il à la petite fille. Elle était la seule créature de la maison contre laquelle il ne proférât pas, du matin au soir, entre ses dents noires, d'ignobles injures, la plupart incompréhensibles même à son gendre, où il mêlait l'argot des bagnes au mystérieux langage professionnel des forains.

Un soir, la grande fièvre l'avait pris, et ni prières, ni menaces ne l'avaient dissuadé de tenter l'effet d'un remède, à lui enseigné, disait-il, par les sauvages d'Amérique. Il était allé se glisser tout nu dans la chaude litière des vaches, chez un voisin compatissant. Au matin, il était mort.

Mouchette ne croyait pas l'avoir aimé. Elle ne l'avait pas craint non plus. Et parfois il l'avait fait rire. Même mort, étendu sur l'unique lit de la maison, héritage fabuleux rapporté des lointaines Flandres, il lui avait paru plutôt grotesque, car son visage torturé de vieux voyou, peu fait pour l'espèce de paix solennelle dans laquelle il venait d'entrer si brusquement, semblait jouer la comédie de la gravité funèbre, retenir une de ces grimaces effrayantes dont il avait le secret, que la veille encore il essayait pour lui seul, devant le morceau de glace pendu au mur... A travers la toile usée de la chemise les fameux tatouages apparaissaient vaguement. On y distinguait une tête de femme aux longs yeux fendus en amande, avec sa bouche rouge, presque ronde, qui avait la forme d'un cœur.

« Ma pauvre Doudou!... »

Elle sent tout son être épuisé par une lutte de tant d'heures frémir à cette humble caresse. Mais voilà trop longtemps qu'elle a perdu l'habitude des gestes de confiance ou d'abandon : une insurmontable méfiance donne à son visage une expression dure. Ah! qu'elle incline seulement la tête vers le grabat, elle n'y pourrait tenir, il faudrait qu'elle jette la tête sur l'épaule de la mère, du même mouvement irrésistible qu'elle a eu tout à l'heure, en serrant le nourrisson contre sa poitrine.

« ... Malheureux de ne pas savoir l'heure qu'il est, reprend la malade de sa voix lasse. Quand le vent souffle par là-bas, du côté de la mer, on n'entend plus l'horloge de l'église.

— Doit pas être loin de cinq heures, dit Mouchette. Mais le vent a dû tourner, rapport au cyclone.

— Au cyclone? Qué cyclone? Où que t'as vu un cyclone, ma pauvre fille?

— Hier soir, pardi!

— Hier soir? C'était un vent de mer; tout au plus, un fort vent de mer. La voisine, dont c'est le jour de lessive, n'a même pas décroché ses draps. »

D'étonnement Mouchette a failli laisser tomber la bougie qu'elle essaie de faire entrer dans le goulot d'un litre vide. Et pourtant elle ne proteste pas, elle ne doute pas un moment que la mère n'ait dit vrai. Aucun des événements de la nuit où sa pauvre âme harassée ne voie une traîtrise, un mensonge. D'ailleurs les vrais souvenirs qu'elle garde du cyclone, réel ou imaginaire, sont les paroles de M. Arsène. Ah! ce bâtiment de la douane comme entouré d'une vapeur (« pas une fumée, comprends-tu, une vapeur... ») et le toit des docks « pareil à une bête qui se gonfle, un dragon », le toit des docks « montant dans le ciel avec sa charpente » — elle n'a rien oublié; parce que toutes ces choses-là, si difficiles à imaginer, elle les voyait plus distinctement que la flamme même de cette bougie, surgir une à une du regard de son compagnon, des profondeurs de l'ivresse...

Oh! sans doute, à l'heure qu'il est, M. Arsène ne se souvient plus du cyclone, à peine de Mouchette... Un rêve. Elle n'a même pas été dupe d'un homme, mais d'un rêve... Dieu! qu'au moins, à tout risque, quelqu'un connaisse son secret!

« Ecoute, m'man », commence-t-elle en s'inclinant brusquement si près qu'elle sent les cheveux de la malade sur sa joue.

Malédiction! Gustave, réveillé par la lumière, est resté un moment tranquille, accroupi, mais la couverture a fini par glisser, entraînant le faible poids de son corps, et les jambes entortillées dans ses langes dérisoires, mordu par la bise qui souffle sous la porte, il pousse ce cri perçant, continu, intolérable, qui n'exprime sans doute ni plaisir ni peine, mystérieusement commandé par quelque lésion du misérable cerveau, et dont il est miraculeux que les poumons débiles puissent soutenir l'effort.

« Fais-le taire, supplie la mère d'une voix rauque, avec une véritable épouvante dans ses yeux hagards. Je peux pas l'entendre à c't'heure, non, je ne peux point. Aïe! Aïe! »

Mouchette empoigne à l'aveuglette le paquet de chiffons déjà gluant. C'est vrai que le hurlement la rend folle. Elle essaie de le couvrir d'une chanson qui devient bien vite une autre clameur discordante.

« Aïe! Aïe! reprend la malheureuse, voilà que ça me reprend. Bon Dieu de bon Dieu! je crois que je vas passer. Je ne respire plus. Ouvre la fenêtre! Ouvre la fenêtre, que je te dis! »

Mouchette s'approche du lit, sautant d'un pied sur l'autre, en brandissant son fardeau. Le visage de la mère est effrayant à voir. D'un suprême effort, la moribonde s'est assise sur son lit, pliée en deux, avançant goulûment vers le seuil encore clos des lèvres bleues.

Sans lâcher Gustave, Mouchette entrouvre la porte, puis la rabat contre le mur d'un coup de pied. La maison est orientée face au nord-ouest, et le vent humide de la côte pénètre de biais dans la pièce, avec un frémissement étrange, tel que celui d'un immense feuillage.

« Fais-le taire! Fais-le taire! » répète la malade d'une voix monotone.

Mais c'est en vain que Mouchette roule autour du petit corps de son frère tordu par les convulsions la seule couverture de laine, d'ailleurs trempée. Le cri ne cesse pas. Il ne s'enfle pas non plus. Si perçant qu'il paraisse, peut-être ne dépasse-t-il pas l'étroite courette, car le chien Balaud n'a même pas encore secoué sa chaîne. Il n'en met pas moins Mouchette hors d'elle-même, il remplit douloureusement sa tête. Que faire? Elle secoue le nourrisson de droite à gauche, l'élève au-dessus de sa tête, l'appuie furieusement contre sa poitrine.

« Donne-le-moi », soupire la malade.

Mais elle le rend aussitôt, en grimaçant de douleur. Les visages des très pauvres gens, faits pour exprimer une sorte de résignation farouche, sont presque aussi malhabiles que ceux des bêtes à traduire la souffrance. Il semble à Mouchette que la bouche de sa mère est enflée. Non : c'est seulement la langue qui dépasse un peu les lèvres, et elle paraît bleue aussi.

« Remets-le sur son lit, murmure-t-elle faiblement. Quand il peut gigoter tout son soûl, des fois il se rendort. Aïe! Aïe! Va chercher le litre de genièvre. Je l'ai caché à l'entrée de la cave, derrière la caisse. Passer pour passer, que je passe au moins sans souffrir! »

L'énervement ôte à Mouchette jusqu'au pouvoir de réfléchir à quoi que ce soit, elle obéit machinalement. Bien qu'elle ne s'en rende nullement compte, la vieille femme assume le poids de leur misère. Son bavardage, qui parfois les harassait tous, les longues bouderies, les colères bruyantes qui faisaient fuir jusqu'à l'ivrogne, ébahi par ce déluge de mots, c'était leur voix et leur silence, l'expression vigilante, jamais lasse, de leurs âmes taciturnes, le témoin du malheur commun, et de la part qu'il comporte d'humble joie. Et c'était aussi leur révolte. Sur la sinistre galère où ils ramaient ensemble, la mère était la figure de proue, face au vent, et à chaque nouvel assaut de la mer, crachant l'écume de l'embrun.

Elle reçoit la bouteille avec un profond soupir. De plus en plus éperonné par le froid, le nourrisson hurle sans trêve, et de sa niche, le chien lui répond maintenant par une plainte modulée, qui s'achève en une gamme ascendante d'abois aigus, insupportables.

Quand Mouchette revient, la mourante tient le goulot serré entre ses lèvres, et elle aspire bruyamment, maladroitement. Le liquide coule d'abord de chaque côté de sa bouche, puis il inonde le cou, la chemise. Alors seulement Mouchette s'aperçoit que la mourante a perdu connaissance. Elle rouvre d'ailleurs les yeux presque aussitôt. Son regard, déjà trouble, cherche les objets familiers, semble les reconnaître à peine, hésite à se poser. Enfin elle essaie de sourire, un sourire gêné qui fait monter un peu de sang à sa face livide.

« Je me suis bien salopée, dit-elle en tâtant des mains la couverture inondée. Une malchance que le père trouverait son genièvre répandu sur mon lit. Mais il sera trop soûl pour s'apercevoir de rien, probable. N'importe! Arrive qu'arrive, vois-tu, Doudou, je me sens fameusement mieux. »

Elle s'est tue ensuite un long moment. Pas moyen de laisser la porte ouverte : le froid est si vif que Mouchette ne sent plus ses jambes. Elle court jusqu'à l'autre grabat, roule Gustave dans la couverture, puis elle le laisse s'étrangler de colère, le visage contre la paillasse. Le chien s'est mis à hurler franchement. Mais la mère ne donne plus aucun signe d'impatience. L'alcool a coulé dans un de ses yeux dont la paupière rougie bat convulsivement.

« Mets ton oreille contre ma poitrine, murmure-t-elle, écoute bien. Je n'entends pas mon cœur. »

Sa voix n'est qu'un souffle.

« Sûr que je vais passer, reprend-elle. Me v'là tout engourdie des jambes. C'est une misère de mourir en buvant la goutte, j'ai pourtant jamais été trop riboteuse, Dieu sait. Ma foi, tant pis! »

Ce mot de mort a frappé Mouchette en pleine poitrine. Mais elle n'a plus vraiment le temps d'y réfléchir : le cri de Gustave est devenu un bafouillement désespéré, une espèce de râle. Elle court de nouveau jusqu'à la paillasse.

Il a la bouche pleine de paille, qu'elle extrait tant bien que mal de son index recourbé.

« Sacré petit gueulard! » dit la mère avec un effrayant soupir.

De son œil unique — l'autre clos — elle examine une dernière fois le nourrisson, puis se détourne.

« Rends-moi la bouteille, Doudou! Faudrait pas, que tu dis? Et pourquoi? Misère de misère! Je me serai-t-y privée toute la vie pour regarder à un pauvre moment de plaisance, alors que je vas mourir. C'est pas que mourir me fasse deuil, non. Mais, jeune ou vieille, j'ai toujours été commandée — « grogne ou grogne pas; obéis quand même ou je cogne! » Il en est comme ça de nous, c'est le destin. Eh bien! jour d'aujourd'hui, ma fille, j'agis à ma convenance. »

Elle caresse distraitement la bouteille de sa main gauche, si pâle que les rides et les crevasses s'y dessinent en noir, comme dessinées à l'encre d'imprimerie, sur une feuille de papier blanc.

« Si je ne passe pas cette nuit, qui sait? Retiens maintenant ce que je vais te dire, Mouchette. T'iras prévenir le docteur. Depuis des jours l'idée me tracasse de le voir, de lui causer, c'est des choses qu'on n'explique pas. Sans reproche, vous autres, vous ne m'avez jamais donné que du tourment. Les gens polis, vois-tu, faut pas en rire! C'est un autre monde que nous. Tu lui diras de venir vers le soir, rapport à ton père, qui serait peut-être point convenable avec lui. Hein, tu lui diras, Mouchette?

— Oui, m'man, sûr que j'irai.

— Et toi, fait-elle encore, tâche de ne pas t'en laisser conter plus tard par des mauvais ouvriers, des ivrognes. Ils ont des manières qui plaisent aux filles. Seulement, vois-tu... Tiens, par exemple, M. Arsène. T'es encore trop jeune, tu ne peux pas comprendre, mais c'est pas une compagnie pour ton père. »

Elle tend vers la bouteille une main d'aveugle.

« Rien qu'une goulée, rien qu'une, ma pauvre Doudou... Il me semble que je suis creuse en dedans, que je ne pèse pas plus qu'un coussin de plumes... »

Elle a posé doucement, presque timidement, sa dure main contre la nuque enfantine. Veut-elle ainsi s'excuser d'une tendresse qui doit paraître insolite à la fille silencieuse dont elle n'a pu tirer aucune parole de compassion. Un instant, la petite tête obstinée résiste imperceptiblement, puis glisse tout à coup sur la poitrine maternelle, s'abandonne, avec un gémissement de fatigue, et comme au terme de son effort.

« M'man, commence-t-elle, faut que je te dise... »

La morte n'a rien entendu.

Ils sont rentrés à l'aube, tous fin soûls. C'est Zéphyrin, le plus jeune des frères, qui a le premier aperçu la bougie laissée par Mouchette au chevet du cadavre, et avant même d'avoir bien compris, il a retiré sa casquette. La voisine, Mme Dumay, est assise sur l'escabeau, dans l'ombre, en train de moudre le café. L'eau chante déjà dans la bouilloire. Sur sa paillasse, Mouchette, épuisée, dort à plat ventre, auprès du nourrisson vaincu.

Ils ont bu le café sans rien dire. Puis Zéphyrin est allé prévenir au village. Le père, gêné par son veston, s'est mis en manches de chemise, malgré le froid, et fume sa pipe, assis sur l'unique marche de l'abreuvoir, comme il fait le matin de chaque dimanche. Les petits yeux d'un gris sale clignent sans cesse.

« Où vas-tu, fille?

— Chercher du lait pour Gustave. »

Il l'arrête, braquant sur elle sa pipe en terre, tandis que ses joues vernissées prennent une teinte brique. Son regard a encore le vague et la solennité de l'ivresse, mais sa bouche aux dents noires grimace un sourire plein d'embarras. Mouchette continue de l'observer en silence. Rien ne bouge dans son mince visage.

« C'était une femme courageuse », bégaie le père de sa voix rendue presque inintelligible par le sifflement de ses poumons rongés d'alcool.

Mouchette le fixe toujours, impassible. Les terreurs de cette nuit l'enveloppent encore, ainsi que d'une espèce de brouillard à travers lequel les choses et les êtres apparaissent bizarrement transformés. Il n'y a d'ailleurs aucune véritable malveillance dans le regard qui scrute avec tant d'attention la figure sans âge. C'est vrai qu'elle ne la reconnaît plus. Dépouillée pour un moment de son expression habituelle d'entêtement, touchée par le doute, une inquiétude obscure, elle ressemble à celle d'un gros marmot. Et plus le misérable s'efforce de faire face à ce témoin inattendu, jusqu'alors dédaigné, plus se décomposent ses traits incertains. Le vent rebrousse le poil sur la tête couleur de brique.

« C'est-il que t'auras bientôt fini de me regarder comme ça, prononce-t-il enfin, espèce de malapprise? »

Mouchette s'est tout de même reculée un peu, par habitude. Et pourtant, elle ne sent nulle crainte. Elle ne cherche aucune réponse. La révolte qui commence à gronder en elle est un démon aveugle et muet. Mérite-t-elle le nom de révolte? C'est plutôt le sentiment instantané, presque foudroyant, qu'elle tourne le dos au passé, qu'elle risque le premier pas, le pas décisif vers son destin. Il faut qu'elle fasse un grand effort pour parler. Encore ne trouvera-t-elle qu'une injure. Mais elle l'articule lentement, tristement, si tristement que le père n'a pas compris d'abord. Avant qu'il ait ouvert la bouche, sa fille repousse déjà la barrière de bois, ses galoches claquent sur les pierres de la route... Une injure, la plus grossière qu'elle connaisse, mais qui n'a pour elle, en ce moment, aucun sens, qui n'exprime que son profond, son inconscient désespoir :

« M...! » dit-elle.

Après quoi, elle a tout de même marché un peu vite, jusqu'au sommet de la côte d'où l'on découvre la première maison du village. Pourtant l'idée de fuir les coups, hier encore si naturelle, lui paraît maintenant intolérable. Au sentiment de liberté qui vient de naître en elle ne se mêle aucune espèce de joie. Elle sait qu'il arrive trop tard, qu'il ne la sauvera pas. Mais rien ne l'arracherait de son cœur, et pour le défendre elle ferait face.

Tout en songeant, elle jette un regard sur ses habits, hausse les épaules. Des habits, ça! Elle a oublié son caraco, n'est vêtue que de sa chemise et de son mauvais jupon troué. Le cuir de ses galoches a pris la couleur de la rouille et elles se sont, en séchant, retroussées d'une manière grotesque. De plus, elle s'est poudré les cheveux de cendre, elle la sent craquer sous ses dents. N'importe! il lui en coûte peu d'être sale. Et ce matin, n'était la crainte de ne pouvoir aller jusqu'au bout de sa tâche, elle se roulerait volontiers exprès dans la boue, comme le bétail. Oui, à plat ventre dans la boue glacée — ce ventre qui lui fait mal, la contraint de marcher pliée en deux.

Elle a quitté la maison sans but précis. L'alcool que M. Arsène lui a fait boire reste encore là, au niveau de cette brûlure... M. Arsène! Il doit être loin maintenant! Elle le voit, le long d'une route imaginaire, marchant de son pas souple, un peu oblique, et peut-être une chanson sur les lèvres? Car il n'arrête guère de chanter. Demain soir, vaille que vaille, il aura passé la frontière, et la frontière pour Mouchette est une ligne mystérieuse que les gendarmes n'oseraient pas plus franchir que les douaniers. La frontière belge!... Au-delà, un pays qu'elle voit dans sa tête, à travers les vagues souvenirs de la première enfance, un pays plat, limité seulement par le ciel, et tout grouillant d'un bétail énorme, les grandes vaches flamandes si longues qu'elles ont l'air de traîner péniblement leur train de derrière, ainsi qu'un bizarre fardeau... Un pays balayé nuit et jour par le vent qui fait ronfler les moulins — un pays libre...

Elle ne le verra jamais, elle est trop lasse. Cette colère qui ne saurait atteindre M. Arsène, voilà qu'elle la tourne maintenant contre le village sordide. Le souvenir de Madame, surtout, l'exaspère. Quel dommage de ne pouvoir lui jeter la vérité à la face, ou du moins une vérité savamment calculée, qui la mettrait hors d'elle-même, lui imposerait silence d'un seul coup : par exemple, à la leçon de morale du mardi, lorsqu'elle flétrirait devant la classe « l'acte abominable commis contre un fidèle serviteur de la loi, blessé au champ du devoir, de l'honneur »... Mais elles ne feraient toutes qu'en rire. On ne la croirait pas. Ou bien... Quoi qu'elle dise, d'ailleurs, elle ne peut maintenant que nuire au fuyard, elle est désormais hors du jeu. Pourquoi se révolter contre son sort? Il suffit bien de le mépriser. Car son rôle n'est plus que celui d'un enfant fourvoyé parmi des hommes affrontés dans une lutte mortelle. Le crime, comme l'amour, n'accueille pas un si chétif fardeau. Le grand fleuve noir et grondant qui l'a porté un moment la rejette dédaigneusement sur la grève.

Et pourtant... pourtant elle n'en est pas moins seule à savoir, elle dispose d'un secret que les juges et les gendarmes traquent peut-être déjà sur les routes.

Dans son désespoir, c'est l'unique pensée qui la puisse encore tenir debout. Sans doute cette pensée n'est-elle pas très claire en elle : l'orgueil diabolique qui l'inspire reste mêlé de crainte. Mais pour la première fois de sa vie, la révolte demi-consciente, qui est l'expression même de sa nature, a un sens intelligible. Elle est seule, vraiment seule aujourd'hui, contre tous.

TROISIÈME PARTIE

Au seuil de l'épicerie, la vieille Derain lui fait signe. D'ordinaire, elle ne lui témoigne, comme les autres, qu'une hostilité dédaigneuse, tempérée par la crainte des représailles, car on croit volontiers Mouchette capable de « se venger sur le bétail », crime, au village, irrémissible. Mais la nouvelle est déjà connue au village, et cette mort si soudaine enflamme les curiosités.

« Ainsi donc!... Elle a passé, ta pauvre mère, et si vite! Paraît que tu n'as seulement pas eu le temps d'appeler la voisine : elle est arrivée trop tard. Viens prendre une goutte de café. »

Mouchette s'est arrêtée au bas du minuscule perron, tête basse, et son air plus sournois que jamais fait soupirer la patronne, qui échange avec une cliente attardée au comptoir un regard oblique.

« Entre donc, que je te dis. Pas la peine de

te laisser abattre, ma fille, chacun son tour, hé! Au moins, la malheureuse, elle ne se sera pas sentie mourir. Une rupture d'anévrisme, probable? On lit ça tout le temps, dans les journaux. »

Visiblement, l'attitude de Mouchette inspire à l'épicière une surprise mêlée d'un vague respect. Qui aurait cru cette petite sauvage capable d'un réel chagrin? La mère ne passait cependant pas pour patiente.

Mais Mouchette reste bien indifférente à la curiosité dont elle est l'objet. L'odeur du café chaud anéantit en elle tout sentiment et même toute pensée. Elle lui met les larmes aux yeux.

L'épicière pousse devant elle la corbeille aux croissants. Il est vrai que ce sont ceux de l'avant-veille, car le garçon boulanger ne livre que le dimanche matin, après la grand-messe. N'importe! La main de Mouchette tremble en plongeant la rare friandise dans le bol fumant. La détente nerveuse est si forte qu'elle perd tout à fait contenance et le visage dans la buée parfumée, son petit corps ramassé sur lui-même, exactement comme celui d'un jeune chat devant une jatte de crème, elle mange et sanglote à la fois.

L'épicière glisse un quatrième croissant

entre les doigts toujours tremblants. Mouchette le met machinalement dans sa poche. Elle a l'air maintenant de réfléchir, les coudes sur la table, mais elle ne songe à rien. La couleur même du comptoir de chêne clair est appétissante, comestible. La conversation à voix basse de l'épicière et de sa cliente arrive à ses oreilles ainsi que le murmure, le ronronnement de son propre sommeil. Il faut que le silence s'établisse enfin, se prolonge, pour venir à bout de ce rêve informe. Et aussitôt le regard qu'elle lève sur les deux femmes est son regard habituel de méfiance et de ruse. L'expression en est même si farouche qu'elle leur fait baisser les paupières.

La chemise de Mouchette s'est ouverte, découvre sa poitrine, et les meurtrissures y apparaissent nettement. Elles n'ont pas eu le temps de tourner au violet; sur la peau brune, elles se dessinent en rouge sombre, la marque des ongles en rouge clair. Certes, tout le monde sait que le père a la main leste. Mais ces marques-là ont un autre sens, un sens sinistre. Sur la poitrine à peine nubile, elles ont écrit une histoire que le regard exercé des deux commères a déchiffré d'un seul coup.

Le premier mouvement de Mouchette est de fermer le col de sa chemise. Peine perdue!

L'étoffe a plus souffert encore que la peau, et les doigts trop pressés n'ont fait qu'élargir la déchirure. Sans doute les femmes hésitent : une parole, un sourire suffiraient peut-être à détourner l'orage, mais l'enfant est bien incapable de l'une ou de l'autre. Le geste qu'elle fait achève de la trahir. Car elle s'est dressée d'un bond, d'un bond d'animal surpris. Par malheur, la chaise glisse, heurte brutalement la table, et le bol à demi plein s'écrase sur les pavés.

« Qu'est-ce qui te prend? dit l'épicière d'une voix sifflante. Tu casses mon bol, à c't'heure? En voilà une sauvage! »

La honte et la colère creusent au front de Mouchette un pli étrange. Son visage enflammé l'accuse, aussi clairement qu'aucun aveu. Elle recule obliquement vers la porte.

« Petite traînée! fait l'épicière entre ses dents. Et j'allais la plaindre encore! On a bien raison de dire : « Qui veut traire une chatte enragée « n'a que la griffe! »

Mouchette, d'ailleurs, ne l'entend pas : elle est déjà dans la rue, descend vers le village d'une marche saccadée, les jambes si raides que chaque pas retentit douloureusement dans son ventre. Oh! l'épicière peut glapir d'autres injures, elle n'en a nul souci! Une fois de plus, sa crainte et sa fureur se retournent déjà contre elle-même, c'est elle-même qu'elle hait. Pourquoi? Quelle faute a-t-elle commise? Hélas! plût au Ciel qu'elle en eût commis, en effet! Quel remords vaudrait la honte qui la ronge et à laquelle sa pauvre logique ne saurait trouver aucune raison intelligible, car c'est la honte aveugle de sa chair et de son sang. Tout en marchant, elle crispe les deux mains sur la poitrine blessée, la déchire sournoisement à petits coups rageurs, comme pour tuer.

Elle arrive ainsi jusqu'à la place de l'église. Elle ne s'aperçoit pas qu'elle boite. Les deux jeunes garçons du brasseur, qui jouent devant leur porte et ne perdent jamais l'occasion de lui lancer à pleine voix, dès qu'ils l'aperçoivent, le sobriquet de « tête de rat », la contemplent de loin aujourd'hui, serrés l'un contre l'autre, en silence... La cloche tinte pour la première messe. Mouchette poursuit sa course du même pas. Le but commence seulement à lui apparaître, car elle a marché jusqu'ici comme une somnambule. Un peu au-delà des dernières maisons du village, dans le creux d'un petit chemin bordé de haies qui achève de se perdre dans les terres, se trouve la maison de M. Mathieu, une maison de briques, flanquée d'un hangar et d'un cellier, toute neuve.

Ce n'est pas la curiosité de savoir qui pousse Mouchette. Quel que soit le désordre de son esprit, elle sait très bien qu'en un jour comme celui-ci, elle pourrait apprendre de n'importe qui la vérité sur les événements de la nuit, sans risquer de se compromettre.

Aussi longtemps que la morte n'aura pas été mise en terre, elle appartient au village, à la commune rassemblée autour de sa dépouille avec une crainte presque respectueuse, une mystérieuse sollicitude. Il n'y a qu'une morte au village, comme il n'y a qu'un maire ou qu'un curé. Sa fille doit bénéficier un temps d'une sorte de privilège funèbre reconnu silencieusement par tous. Non, la force qui entraîne Mouchette vers la maison du garde Mathieu est de la même espèce que celle qui la dresse contre elle-même. Elle obéit à une loi aussi fixe, aussi implacable que celle qui régit la chute d'un corps, car un certain désespoir a son accélération propre. Rien ne l'arrêtera désormais : elle ira jusqu'au bout de son malheur.

Un fait l'étonne cependant : le village est tranquille — on dirait un matin de dimanche pareil aux autres, avec cette imperceptible rumeur joyeuse, ce bruit de ruche d'où s'élance soudain le chant vertigineux des cloches. Elle n'y a pas prêté d'abord attention, car son trouble intérieur suffit à déformer les choses. Mais elle commence à prendre peu à peu conscience de cette tranquillité si étonnante, alors que l'attentat doit être connu de tous. Elle n'y voit aucun motif d'espérance, elle l'accepte au contraire ainsi qu'un présage sinistre. C'est comme si le village déjà, secrètement ennemi, s'ouvrait devant ses pas, élargissait sournoisement autour d'elle la zone de silence traîtresse.

Elle arrive ainsi à l'entrée du chemin creux. La folle imprudence de sa démarche lui apparaît vaguement, mais il est trop tard maintenant pour reculer. Sa volonté exténuée ne saurait procéder que par défis, ainsi qu'à la limite de ses forces, une bête chassée avance sous le nez des chiens par bonds convulsifs, avant de rouler sur le côté, morte. Le courage lui manque pourtant de pousser la porte de bois qui ferme l'enclos. Cette porte est faite de lattes en bois, très larges, ne laissant entre elles qu'une fente étroite. Elle s'arrête là, hors d'haleine, le cœur battant. Ses mains trempées de sueur font sur la peinture verte un cerne d'ombre qui va s'agrandissant.

Le premier coup de la messe sonne toujours... Et soudain... M. Mathieu n'est pas mort, il n'est même pas blessé. Il vient d'apparaître à sa fenêtre, en chemise, la figure barbouillée de savon. Sans doute a-t-il observé depuis quelque temps Mouchette à travers les carreaux, car il l'appelle tout de suite, de cette voix qu'elle redoute entre toutes, qui réveille d'un seul coup ses terreurs d'enfant, la voix commune à tous les subalternes de la grande armée de la loi, une voix qui ressemble un peu à celle du guignol des ducasses, pleine d'une bonhomie féroce.

« Qu'est-ce que tu fais là, vermine? »

Elle ne répond rien, elle n'a pas non plus le courage de fuir.

« Tu tombes bien, reprend le garde. Faut que je te parle. Arrive ici, je ne te veux pas de mal. »

Il quitte la fenêtre, reparaît à la porte dont il barre le seuil de ses larges épaules. Elle grimpe lentement le perron. Au bruit, Mme Mathieu sort de la cuisine, ses cheveux roux épars dans le dos.

« Ne la tourmente donc pas, c'te gamine. Voyons, Camille, le jour de la mort de sa mère! »

O miracle! Mouchette a continué d'avancer de son pas mécanique, et elle s'arrête juste contre le flanc de la jeune femme, son front contre le tablier bleu. C'est un geste aussi inconscient que celui du dormeur qui se retourne dans un songe. Mme Mathieu passe doucement la main sur la nuque rebelle, puis prend la petite tête entre ses deux paumes, tourne de force le visage vers le sien. Les traits de Mouchette restent si contractés, si durs, que la femme ne peut retenir un cri de surprise, presque de dégoût. Dame! elle est la fille unique d'un employé des postes d'Amiens, elle a toujours vécu en ville, et le mot sauvage n'évoque en son esprit qu'un nègre aux dents blanches, pareil à ceux des jazz-bands, mais nu, et le nez orné d'un anneau de bronze.

« Ecoute bien, dit le garde d'une voix dangereusement radoucie. Tu connais le gars Arsène? Bon. Nous avons eu hier soir des mots ensemble, rien de grave, à propos d'un piège, une bagatelle, quoi. Il était soûl — mais soûl comme je ne l'avais jamais vu, car c'est un gaillard qui porte la goutte. Bref, on s'est un peu accroché, lui et moi, mais en dehors du service, hein? La chose ne regarde personne. Seulement les gardes de Tiffauges l'ont arrêté ce matin, au petit jour. Ils l'accusent d'avoir dynamité la rivière sur plus de onze kilomètres, d'accord avec des messieurs de Boulogne qu'ont enlevé la marchandise dans une camionnette pépère, que la moto de la gendarmerie a chassée plus de vingt minutes sans pouvoir la rattraper.

« Naturellement Arsène leur a glissé entre les pattes, mais un garde a cru le reconnaître, un nommé Chauvet. Comme ils ont arrêté mon bonhomme pas plus de deux heures après, à quinze kilomètres de là, je me demande si pour une fois ce sacré Arsène ne ment pas. Il a dit aux gendarmes qu'il t'a rencontrée cette nuit, près du fonds Poullenc. Si c'est vrai...

— C'est vrai, dit Mouchette sur un ton de politesse insolite. Oui, m'sieu. »

Le garde éclate de rire.

« T'es pas rusée, fait-il. Avoue tout de suite que t'as vu Arsène ce matin. Il aura fait un tour chez toi, pour arranger son alibi. Sinon, pourquoi que t'es venue? T'as pas l'habitude de me rendre visite, farceuse! »

Plus que les paroles, l'accent gouailleur achève de déconcerter Mouchette. Elle a peu l'habitude de l'ironie et lorsqu'elle arrive à saisir quelque chose de ce langage inconnu, le mouvement de son âme n'est pas de colère, mais d'effroi.

« Ou c'est ton père qui l'a vu. Parce qu'Arsène est bien trop canaille pour t'avoir envoyée ici tout droit, dans la gueule du loup.

— Laisse-la donc, fait la femme du fond de sa cuisine. Tu vois pas que la gosse est prête à tomber faible, non? »

De nouveau, elle avance vers l'enfant qui recule lentement jusqu'au mur, où elle s'adosse. La voix compatissante l'émeut d'une émotion toute physique, contre laquelle sa volonté ne peut rien.

« Tu perds bien ta peine, dit le garde en haussant les épaules. Je ne lui veux pas de mal, mais regarde seulement ses yeux. De vrais yeux de chat sauvage.

— J'ai vu M. Arsène cette nuit, reprend Mouchette. Vrai comme me voilà, monsieur Mathieu.

— Et où l'as-tu vu, Arsène?

— Dans sa cabane, au bois Mourey.

— Qu'est-ce que tu faisais dans sa cabane, effrontée?

— Je m'étais mise à l'abri, rapport au cyclo... à la pluie, quoi!

— Tu m'as tout l'air d'être devenue bien délicate pour craindre maintenant un brin de pluie.

— C'est M. Arsène qui m'a emmenée », fait-elle après un silence.

Et elle se tait aussitôt, car elle a surpris entre ses cils mi-clos le regard que viennent d'échanger Mathieu et sa femme. Le sang remonte à ses joues.

« Et d'où venais-tu quand il t'a emmenée? Tâche de ne pas mentir.

— De l'école.

— De l'école? Tu vas donc à l'école la nuit, petite rusée?

— Ça n'était pas encore la nuit, reprend Mouchette, d'une voix qui se brise. Je m'étais mise à l'abri dans le bois. Et lui, M. Arsène, il venait de Surville, la preuve, c'est qu'il m'a dit...

— Qu'est-ce qu'il a bien pu te dire? Il était hors de son bon sens à ce moment-là. Soûl, quoi! — soûl perdu!

— Non, monsieur, il marchait droit.

— Idiote! Tu ne sais donc pas que la goutte le rend comme fou? Justement, il ne marche jamais plus droit que lorsqu'il a son litre de genièvre dans le ventre, droit comme le curé à la procession de la Fête-Dieu. Enfin, qu'est-ce qu'il t'a dit?

— Il m'a dit que vous vous étiez empoignés

vous deux à cause d'un piège. Et que, sans vous manquer, monsieur Mathieu, vous, vous étiez soûl aussi.

— Cré garce! fait le garde en s'efforçant de rire. Allons, continue, n'aie pas peur. Tu sors de l'école, tu t'abrites dans la cabane d'Arsène, la pluie cesse vers minuit. Après t'es rentrée chez toi, je suppose? Même si tu ne racontes pas de menteries, qu'est-ce qui empêchait Arsène d'aller du côté de Tiffauges voir se lever le soleil, hein? Les gendarmes n'en demandent pas plus.

— Je suis rentrée qu'au petit jour à la maison, monsieur Mathieu. Je suis restée presque toute la nuit. »

Sa langue est si rêche que la fin de la phrase se perd dans un chuintement incompréhensible. Elle oublie que le crime du braconnier est un crime imaginaire, sans plus de réalité que le cyclone, qu'il ne s'agit plus désormais que d'une affaire banale, un de ces délits de braconnage pour lesquels le beau réfractaire a comparu devant tous les tribunaux de la province.

« La nuit? T'as passé la nuit dans la cabane d'Arsène. Ben, ma gosse, pour une fille de ton âge, tu m'as l'air de ne pas trop connaître la valeur des mots. Toute la nuit, ben, farceuse! »

Il cesse de rire, parce que sa femme vient de poser un doigt sur ses lèvres.

« Tais-toi donc, dit-elle. Tu n'as pas plus de malice qu'il faut, toi de même! »

Elle s'approche brusquement de Mouchette, la prend par la taille et, comme elle est beaucoup plus grande que l'enfant, il lui faut plier les genoux pour que leurs deux visages se fassent face.

« Je l'aurais parié, fait-elle. Sens toi-même, Mathieu. La pauvre gosse empeste encore le genièvre. Le voyou l'aura soûlée, sûr! »

Mais Mouchette a déjà fait un bond en arrière.

« Avoue donc, reprend la jeune femme d'une voix douce. Les hommes sont bêtes. Rien qu'à te voir entrer tout à l'heure, j'ai deviné que tu n'avais pas dormi cette nuit chez toi, tes cheveux sont encore pleins d'aiguilles de pin. Et quant à l'alcool, pas même besoin de te flairer, tes yeux n'ont pas eu le temps de se mettre d'aplomb. Moi, j'ai toujours cru que tu disais la vérité. Seulement, tu ne la dis pas tout entière. Va-t'en, Mathieu, laisse-nous.

— Ne vous en allez pas, monsieur Mathieu! »

Le cri s'est échappé des lèvres de Mouchette, elle ne le comprend pas, il n'exprime que sa terreur de rester sans témoin face à cette femme dont la pitié vient d'éveiller en elle cette pudeur secrète qu'une femme n'éprouve réellement qu'en présence d'une autre femme, sentiment dont la violence sauvage, d'ailleurs rarement observable, a quelque chose de sacré.

M. Mathieu, qui se dirige déjà vers la porte, s'est retourné. Si grossier que soit le garde, un tel accent l'a saisi. Il observe Mouchette, les joues écarlates, avec un embarras visible. L'enfant ne peut plus s'enfuir : le bond qu'elle a fait l'a éloignée de la porte, sur laquelle, de biais, elle glisse un regard désespéré. Sa tête rejetée en arrière découvre son cou si mince, où l'artère bat violemment, comme un cœur.

« Laisse-la partir, dit le garde à voix basse. Tu vas la rendre enragée. Remarque comme ses mains tremblent.

— Parle à ton aise. Ça me fait brûler le sang, moi, de penser qu'une brute... Allons donc! tu ne lui ferais pas grâce d'un malheureux levraut pris à la goulée de son chien, et tu ne t'occuperais pas de savoir si oui ou non il a soûlé cette jeunesse pour...

— Tu dis des sottises. Est-ce que ça me regarde, moi, des cochonneries pareilles? Au lieu que les levrauts, c'est mon affaire. Après tout, les gendarmes savent leur métier, je suppose? Le père n'aura qu'à porter plainte.

— Un père? T'appelles ça un père, grand innocent? Il la vendrait pour une tournée de vieux rhum, sa fille! Ecoute-moi bien, Mouchette. Aujourd'hui, ça me ferait trop mal au cœur de t'interroger, t'as les nerfs à bout. Mais si tu reviens demain me voir, parole d'honnête femme, t'auras une pièce de dix francs pour ta peine, et tu me répondras si ça te chante, je ne forcerai pas ton caractère, t'es libre. »

Le visage de Mouchette ne trahit d'abord aucun sentiment, affecte une indifférence profonde. La vérité est qu'elle s'efforce de se rapprocher insensiblement de la porte. Et pour mieux dissimuler son dessein, elle ne tressaille même pas lorsque la main de son interlocuteur effleure presque tendrement sa joue. De ces propos, d'ailleurs, elle n'a retenu que la nouvelle menace suspendue sur M. Arsène.

Tout ce que des générations de misérables ont amassé en son cœur de révolte, irraisonnée, animale, remonte à sa bouche, au sens exact du terme, car il lui semble que sa langue remue, au lieu de salive, une bouillie âcre et brûlante, à l'odeur de bile. Lorsqu'elle atteignit le seuil, lorsqu'elle sentit sur son front, sur ses joues, sur tout son corps presque nu sous la robe légère, l'air glacé, la parole lui fut brusquement rendue. Il ne lui vint d'ailleurs aux lèvres qu'une bravade au lieu d'une injure, mais injure ou bravade, qu'importe? La plus insignifiante parole n'en ferait pas moins ce grand choc dans sa poitrine, car elle se sent comme enveloppée de silence. Avant même que de les entendre, elle sent vibrer chaque syllabe au fond de sa gorge, ainsi que dans une cloche d'airain.

« M. Arsène est mon amant, dit-elle avec une ridicule emphase. Interrogez-le si vous voulez : il vous répondra. »

Elle descend les marches d'un bond, mais se reprend au bas du perron, traverse le chemin creux lentement, posément, attentive à poser ses galoches trop grandes au creux de l'ornière, afin de ne pas glisser. Bien que ses oreilles tintent de plus en plus, si fort même que la tête lui tourne, qu'elle garde difficilement l'équilibre, elle entend la voix du garde, derrière la porte refermée :

« Tu ne voudrais pas que je coure après elle, non? Si le cœur t'en dit, tu parleras demain à M. le maire. »

C'EST en traversant de nouveau le village que l'idée lui est venue. Jusqu'à la maison Dardelle, personne n'avait paru la remarquer. L'heure qui précède la grand-messe est, comme jadis, une heure de recueillement. Il faut des siècles pour changer le rythme de la vie dans un village français. « Les gens se préparent », dit-on, pour expliquer la solitude de la grande rue, son silence. Se préparer à quoi? Car personne ne va plus à la grand-messe. N'importe. A neuf heures, le père n'en passe pas moins sa chemise au plastron raide, en jurant le nom de Dieu, la tête enfouie sous la toile qui se déploie avec des craquements bizarres. Et la mère, qui épluche les légumes pour la soupe, a posé soigneusement sur le lit sa jupe de laine noire à grands plis et ses bas.

La maison Dardelle, appelée ainsi du nom de son ancien propriétaire, est occupée depuis dix ans par une ancienne servante du marquis de Clampains. Vieille et percluse au point de ne marcher qu'avec deux cannes d'ébène à béquille d'argent, don du défunt marquis, elle visite les malades et surtout veille les morts.

Dès que retentit le glas — elle le sonne parfois elle-même, à la plus petite des trois cloches, les béquilles posées à terre et son maigre corps plus léger que celui d'un enfant, balancé imperceptiblement au bout de la corde — la famille du défunt guette aux carreaux la mince silhouette, qui ne se fait jamais attendre longtemps. Indifférente au sourd murmure qui l'accueille, la vieille s'avance vers le lit funèbre et chacun remarque qu'elle tient les paupières baissées, comme si elle ménageait ses forces ou son plaisir.

Après un signe de croix, elle s'en va poser dans un coin son gros sac de drap qui contient la bouteille de café noir rehaussé d'une goutte de rhum, la chaufferette de cuivre avec la provision de briquettes et la tranche de pain beurré roulé dans un mouchoir bien blanc. Alors seulement elle consent à s'asseoir au coin du foyer, pose des questions, toujours les mêmes, auxquelles il lui arrive souvent de répondre, si bien que les plus bavardes, les plus pressées de confier à un témoin si compétent les détails macabres qu'elles ont recueillis les premières, écoutent avec une espèce de terreur l'étrange monologue de cette vieille au doux sourire, aux yeux d'un bleu fané. Elle reste ainsi, bavardant ou somnolant, choie les petits, auxquels elle distribue des caramels égarés au fond des larges poches de sa robe, et si poisseux qu'avant de les donner elle les nettoie parfois d'un coup de langue.

Jusqu'au soir à peine semble-t-elle se douter de la présence du cadavre, autour duquel s'empressent visiteurs et visiteuses. Mais lorsque la nuit est tout à fait tombée, que les voisines elles-mêmes quittent une à une la chambre funèbre et que la famille gênée s'assemble autour de la soupière avec de brefs, profonds et naïfs soupirs (« Que voulez-vous? Il faut bien nous soutenir un peu les nerfs, pas vrai? »), elle se lève sans bruit, s'approche à pas menus. Les regards se détournent tandis qu'elle traverse la pièce, s'enfonce dans l'ombre, son mince corps bizarrement secoué sur les deux cannes silencieuses (l'extrémité en est protégée par une cartouche de gomme) ainsi qu'un minuscule navire balancé par la houle.

Des heures et des heures, elle restera au chevet du mort qu'elle couve de son regard attentif. Pas un pli du drap qui puisse échapper à sa vigilance, qu'elle n'efface soigneusement du bout de ses doigts décharnés dont les ongles démesurés grincent sur la toile. Pas une mouche vagabonde qu'elle n'écarte inlassablement du visage sur lequel, dès la première minute de la veillée, elle a étendu un mouchoir blanc — toujours le même, un peu jauni par tant de lessives. Bien qu'elle passe volontiers pour dévote (elle remplit parfois bénévolement les fonctions de sacristine), il ne semble pas qu'elle prie, du moins ne voit-on jamais remuer ses lèvres, crispées dans une grimace d'attention. Mais rien ne saurait l'arracher à sa faction mystérieuse, ni la distraire d'une contemplation dont elle a le secret.

Si le cierge funéraire est placé trop loin, elle ne manque pas de le rapprocher, jusqu'à ce qu'il éclaire en plein la face de pierre, le sombre compagnon absorbé lui-même dans une réflexion insondable. L'opinion générale est qu'elle sommeille, les yeux grands ouverts, comme il arrive, dit-on, à beaucoup de vieilles de sa sorte. Il est vrai, qu'au cours de la nuit, elle répond rarement à qui l'interroge, et cependant nul n'ose répéter deux fois la question posée en face de ces prunelles pâles où bouge la petite flamme du cierge. Ils craindraient d'éveiller peut-être à la fois le mort et sa gardienne.

Lorsque les coqs se répondent, que le cierge commence à pâlir, elle se fait plus petite encore au fond de son grand fauteuil. Parfois même, elle pose ses maigres coudes sur le bord du lit, s'absorbe dans une contemplation dernière, comme si la lueur grise de l'aube allait lui découvrir ce qu'elle cherche en vain depuis tant d'années. Peu à peu, la maison s'éveille, les portes des étables battent, le bétail s'ébroue en secouant ses chaînes, les gens qui parlaient encore à voix basse reprennent le ton des jours ordinaires, dissimulent à peine leur joie du matin, cette joie si puissante au cœur des paysans. Alors seulement elle feint de dormir, le menton penché sur la poitrine, les mains dissimulées sous le fichu de laine. Elle ne se lève qu'au grand jour, dans le joyeux tumulte du premier repas. Son visage blême trahit une fatigue que les gens ne connaissent guère, qui n'est point celle des muscles, ni même d'une nuit insomnieuse. Mais ce sont surtout les yeux dont ils soutiennent avec embarras le regard terne, si usé qu'il ressemble à celui d'un aveugle. Elle semble ne pas remarquer leur gêne, accepte un bol de café, qu'elle avale debout, le dos au mur, partage le reste de ses provisions aux enfants qui partent pour l'école et s'éloigne, dans la lumière revenue, disparaît au tournant de la route fraîche, dorée par l'aurore, laissant derrière elle un sillage étrange. Son chat l'attend là-bas, sur le seuil.

« Ce soir, dit-elle, j'irai veiller votre morte, ma petite Mouchette. »

Pour éviter de passer trop près du cabaret dont les portes sont grandes ouvertes et qui se trouve de l'autre côté de la rue, Mouchette a pris franchement sa droite, en sorte qu'elle se rencontre nez à nez avec la sacristine.

« Venez si vous voulez, faites à votre mode », reprend-elle d'une voix mal assurée.

Le regard bleu pâle la fixe avec une expression irrésistible de curiosité, de compassion, d'obscure, d'inexplicable complicité.

« Entre ici, dedans », commande la vieille à voix basse.

Si Mouchette obéit, c'est vraiment qu'elle n'en peut plus. Elle se laisse tomber sur une chaise au coin de l'âtre vide. Les pavés rouges soigneusement tenus ont une odeur de cire et de pomme aigrelette. Dans le volet de chêne de l'armoire, devenue couleur d'ébène, elle distingue vaguement son visage.

La vieille s'est assise en face d'elle, sans mot dire. L'horloge surmontée d'un coq de bronze doré bat lentement, pesamment, et à chaque descente du balancier de cuivre jette un éclair sur le mur. Un moment, Mouchette essaie de lutter contre ce silence, mais elle s'y est prise trop tard sans doute, il monte, il l'enveloppe, elle a l'impression que la nappe invisible recouvre ses épaules, son front. L'illusion est si forte qu'elle croit faire pour se débattre, échapper, un immense effort, et cependant elle est incapable de bouger. Au moment même où elle cesse de lutter, se laisse couler à pic, elle entend de nouveau la voix de la vieille femme qui a l'air de poursuivre une phrase commencée :

« Tu n'es pas dans ton bon sens. Patiente un peu, ma belle, reste ici.

— Non, fait Mouchette, faut que je rentre.

— Pas sur tes jambes, alors! Tu ne peux seulement pas te tenir debout. »

Le silence monte de nouveau, mais cette fois Mouchette ne lui oppose aucune résistance, au contraire. Elle s'y laisse tout de suite glisser avec un frémissement de tout l'être, qui est presque un frémissement de bonheur.

« Tu allais mal faire, reprend la vieille. Tu as le mal dans les yeux. Quand tu es passée devant la maison, au petit matin, je t'ai regardée dans la vitre, et je me suis dit : « Voilà une « fille qui va mal faire. »

Silence. Mouchette suit le tic-tac de l'horloge avec une sorte de plaisir assez nouveau pour elle, car son rêve a rarement ce caractère vague, indistinct, qui le fait ressembler au sommeil. Cela n'est d'ailleurs pas tout à fait un rêve. Les images qui passent sont si troubles qu'elle ne saurait les distinguer entre elles, elle n'est sensible qu'à leur rythme, d'une lenteur extrême. Ainsi les minutes qui précèdent un profond repos et qui sont entre le sommeil et la mort, appartiennent à peine à la vie.

« Ecoute, reprend la vieille, voilà des mois et des mois que je pense à toi, est-ce drôle! Aussi je te connais bien. Ça date d'un jour de l'an dernier, aux environs de la Saint-Jean, tu te souviens? Je t'ai donné une pomme verte. »

Mouchette se souvient, mais elle n'en laisse rien paraître. Elle ne s'est jusqu'ici jamais confiée à personne — au sens exact du mot — et l'élan qui l'a jetée quelques heures plus tôt au chevet de sa mère déjà morte est le seul qu'elle ait connu. Elle devine obscurément qu'il sera aussi le dernier, qu'une source mystérieuse s'est tarie du premier coup.

Son secret n'est d'ailleurs pas de ceux qu'on peut livrer, car il tient à trop de choses, il est comme ces plantes d'aspect chétif mais qu'on n'arrache pas sans emporter avec leurs racines la poignée de terre qui les a nourries. Elle ne fera pourtant aucun effort pour échapper à l'étrange douceur dont elle est en ce moment la proie, et qui paraît tisser autour d'elle, diligente, patiente, les fils d'une trame invisible.

« Si je ne t'ai pas parlé plus tôt, c'est parce que le temps n'était pas venu. Tout vient en son temps. A quoi bon tenter d'arrêter un cheval, tant qu'il rue et mord, je te demande? Lorsqu'il est bien las, bien rendu, voilà le moment de lui dire une bonne parole et de lui passer le bridon. Bêtes ou gens, tu n'en trouveras guère qui résistent à une bonne parole, à la parole qu'il faut. Malheureusement, les gens parlent trop. Ils parlent tellement, tellement ils parlent que, le jour venu, leurs paroles n'ont plus de pouvoir, elles sont comme la poussière qui sort du van quand on vanne. »

Elle va jusqu'à la grande armoire, l'ouvre, et une tiède odeur de verveine remplit la pièce. De haut en bas, les planches sont chargées à rompre de linge blanc que le reflet du bois poli par les siècles dore imperceptiblement. Cela fait dans la pièce, en face de l'unique fenêtre aux rideaux clos, comme une autre source de clarté, incroyablement douce. Ah! quelle femme de la lignée de Mouchette n'a rêvé au moins une fois d'un tel trésor? En toute autre circonstance, sa stupeur admirative se changerait vite en colère, mais elle est décidément trop épuisée. Elle flaire cette odeur jamais respirée, elle croit sentir sur ses mains la caresse de ces toiles lumineuses, leur fraîcheur.

« Le jour de la mort de ta mère tu ne vas pas rentrer chez toi faite comme te voilà. Faut honorer un jour pareil. Crois-moi, ma belle, c'est un grand jour. As-tu seulement pensé à la mort, des fois? »

Mouchette ne répond pas. Elle regarde toujours du côté de l'armoire. Et, soudain, l'idée de la mort se confond avec l'image de ces piles de draps immaculés.

« Je comprends la mort, reprend l'étrange vieille sur un ton de confidence. Je comprends très bien aussi les morts. A ton âge, ils me faisaient peur. A présent, je leur parle — façon de dire — et ils me répondent. Ils me répondent à leur manière. Tu dirais un murmure, on ne sait quoi, un petit souffle qui a l'air de venir des profondeurs de la terre.

« J'ai expliqué la chose un jour au curé, qui m'a grondée. Pour lui, les défunts sont dans le Ciel. Je ne veux pas le contredire, tu penses, mais je garde mon idée quand même. Autrefois, dans les temps, il paraît qu'on adorait les morts, les morts étaient des dieux, quoi! Ça devrait être la vraie religion, vois-tu, fillette. Tout ce qui vit est sale et pue. Tu me diras que les morts ne sentent pas bon. Bien sûr. Quand le cidre bout, il est aussi horrible qu'un pissat de vache. La mort, comme le cidre, doit d'abord jeter son écume. »

Elle trotte jusqu'au fond de la pièce, dépose sur le lit un paquet volumineux soigneusement roulé dans une serviette.

« Si je parlais comme je pense (à mesure qu'elle retire les épingles, elle les met soigneusement entre ses dents), les autres me riraient au nez. Toi-même... Avoue qu'un autre jour tu m'aurais déjà fait la grimace. Seulement, aujourd'hui, ton petit cœur dort. Tâche de ne pas le réveiller trop vite, ma belle. C'est les bons moments de la vie. Moi, je ne peux rien pour les gens trop bien réveillés, leur méchanceté est là qui veille. Autant mettre le bras dans le trou d'un blaireau. Lorsque tu as passé la première fois, rappelle-toi — ce matin — tu es restée un moment au milieu de la route. Toute ta pauvre petite figure dormait, sauf les yeux. Quand je t'ai revue, tes yeux aussi dormaient. A quoi bon la réveiller, que je me disais. N'a-t-elle pas déjà son plein de misère? »

Elle prononce mystérieusement ces dernières paroles à l'oreille de Mouchette qui se décide enfin à lever un peu la tête, la regarde enfin.

« Je sais que tu comprends, dit-elle (et ses joues ridées se colorent). Parions que vous n'avez pas chez vous un drap pour l'ensevelir? C'est pitié de voir ici comme ils font la toilette des morts. Pense qu'avant Notre-Seigneur, on les embaumait dans des parfums — des aromates, qu'on appelait — ça coûtait des fortunes. Et maintenant, ils ne les lavent même plus. Jusqu'à M. le marquis qu'avait sa barbe de huit jours et du noir sur les ongles. S'ils osaient, ma fille, ils les mettraient tout de suite en bière, et le curé les approuverait. Car il a beau tourner autour du cercueil, lui donner l'eau bénite et l'encens, n'importe! Il appelle le cadavre une dépouille, comme tu dirais une besace vide. Malheur! On devrait traiter un mort mieux qu'une fiancée, le dorloter, le bichonner, avant qu'il aille finir de se purifier sous la terre. »

Ses yeux fanés s'animent : ils sont maintenant de la couleur des pervenches. Mouchette la contemple bouche bée. Visiblement la vieille femme se rassasie d'images connues d'elle seule. Il y a dans son accent, dans ses traits, dans son immobile sourire, une sorte d'affreuse innocence.

« J'emporterai un de mes draps, mon meilleur drap. Nous l'ensevelirons ensemble, petite. Je ferai ça pour vous parce que tu m'écoutes sans rire. J'aime la jeunesse. Faut savoir que je viens d'une contrée que tu ne connais pas. C'est un pays de montagnes. Dans mon village, passé l'automne, on ne voyait plus le soleil. Il se levait d'un côté, se couchait de l'autre sans pouvoir grimper assez haut dans le ciel pour montrer sa grosse face ronde, si bête.

« L'hiver, la terre était tellement dure, rapport aux gelées, qu'on n'enfouissait pas les morts; on hissait le cercueil au haut d'une grange isolée, le froid les conservait tels quels jusqu'au printemps. Figure-toi que le cimetière était juste contre notre maison, avec l'église, une église de rien du tout, moitié pierre, moitié plancher. Comme la route ne passait pas pour bonne, toujours coupée par les avalanches, six mois durant le curé ne se montrait guère, c'était le sacristain qui lisait l'évangile le dimanche, faute de mieux. La place manquant, on avait installé le cimetière sur une plate-forme — une plate-forme dont les murs à pic plongeaient cent mètres plus bas. Un petit cimetière large comme la main, tu ne peux rien imaginer de plus joli. Je me levais la nuit pour le regarder. Même sans lune, on distinguait les croix. »

Elle n'élevait pas la voix, mais parlait de plus en plus vite. Cela rappelle à Mouchette les petits moulins de bois que construisent les garçons. Il y en a un derrière la maison, oublié depuis l'été, que les eaux grossies recouvrent maintenant presque tout entier, mais qui continue à faire entendre de jour et de nuit, à travers le murmure précipité de la source, son bruit d'insecte.

« Tiens, reprend la vieille, regarde. A cause de notre amitié, je donnerai ce beau drap fin. Il y a bien des riches qui ne partent pas si convenablement vêtus, les familles ont tant de malice! Et pour toi, j'ai aussi une belle surprise. »

Elle a pris sur le lit le paquet à demi défait.

« C'est un souvenir, souffle-t-elle. Tu trouveras là-dedans de quoi te vêtir, si le cœur t'en dit. Le tout doit être à ta taille. Malheureusement la couleur ne convient guère : rien que du bleu ou du blanc, la morte était vouée jusqu'à quinze ans, tu penses!

— Vouée? dit Mouchette. Qu'est-ce que c'est?

— Un vœu que sa mère avait fait. Sa mère était la fille du défunt M. Trévène, le grand filateur de Roubaix, un homme très riche. Il avait acheté le château de Tremolens, à vingt lieues d'ici. Moi, l'été, je servais là-bas. Faut dire que vers la trentaine ma santé n'était guère bonne. Si maigre et si jaune que j'étais, avec une mauvaise haleine — pas un garçon ne me regardait sans rire! N'importe! La petite ne voulait jouer qu'avec moi et le grand-papa laissait faire. Jouer est une façon de dire, elle n'aimait réellement que lire et parler. Elle me parlait beaucoup de ses livres. J'avais l'esprit si lent que je ne comprenais pas grand-chose, mais c'était mon plaisir de la regarder. Oh! vois-tu, je sais maintenant qu'il ne faut pas se fier aux apparences, j'en ai tant vu mourir de ces belles filles-là! Qui nous regardait l'une près de l'autre ne donnait pas cher de ma peau, j'étais maigre comme un coucou.

« Lorsque l'été ramenait Mademoiselle, lorsqu'elle sautait toute blanche du grand break noir plein de malles de cuir, avec son odeur de jeunesse, elle ne manquait jamais, après m'avoir embrassée, de poser ses petites mains sur mes épaules et de me dire : « Dieu! quelle triste « mine tu as, ma pauvre Philomène! » Et voilà qu'elle est revenue de la ville, une année bien plus tôt que d'habitude, au printemps. Je ne l'avais pas encore vue si belle, je ne me suis aperçue que longtemps après qu'elle avait maigri. Le plus drôle, c'est que dès ce moment, sans savoir pourquoi, j'ai commencé d'aller mieux. Les domestiques ne me reconnaissaient plus. « On t'a changé la figure », qu'ils me disaient. Ce n'était pas la figure : il me semblait qu'un grand bonheur allait m'arriver, que mon tour était venu.

« En présence de Mademoiselle je n'éprouvais maintenant aucune gêne. Tout le monde, d'ailleurs, me faisait fête, car je soignais la malade de mon mieux. Je n'épargnais pas ma peine; il m'est arrivé de la veiller trois nuits de suite sans nécessité, je la regardais dormir. C'est à la regarder comme ça que j'ai peut-être pris le goût de veiller les morts. Un peu avant l'aube, surtout, son visage perdait l'éclat et jusqu'à l'apparence de la jeunesse. Ce visage-là n'était que pour moi. Alors la distance qui nous séparait semblait brusquement s'effacer. On aurait cru que la force et la fraîcheur qui sortaient d'elle, à l'heure du plus profond sommeil, rentraient en moi. C'était comme un autre sang qui courait sous la peau. Parfois Mademoiselle se révoltait : « Pourquoi me regardes-tu « ainsi? » me demandait-elle. « Ne craignez « rien », lui disais-je. Quand j'approchais ma tête de sa joue, elle avait un petit rire. Cependant, elle finissait toujours par céder, ma pitié pour elle était plus forte que son dégoût. Même elle faisait souvent tomber sa tête sur mon épaule et pleurait.

« De ses cheveux blonds montait une odeur de bruyère, si douce qu'elle me faisait penser à l'amour, moi qui ne me suis jamais souciée des hommes. A ces moments-là, je ne pouvais pourtant pas oublier sa maladie, parce que la sueur de son front était froide, épaisse. Elle l'essuyait sans cesse du bout des doigts, avec une grimace, et je faisais semblant de ne m'apercevoir de rien, naturellement. Qu'importe! c'était tout de même notre secret. Ça l'est resté longtemps, car elle se maquillait le matin avec tant d'art que sa mère ne s'aperçut que très tard des progrès de son mal. Ils étaient d'ailleurs bien rapides. J'entendais les médecins parler entre eux : « Elle ne se défend pas », disaient-ils. Pourquoi se défendre? Au bout de quelques semaines, dès qu'elle se trouvait seule avec moi, elle s'abandonnait.

« Je crois même qu'elle prenait plaisir à se montrer telle quelle, livide sous la couche imperceptible de fard, les yeux éteints, et, par l'échancrure d'une de ses jolies chemises que j'avais tant enviées jadis, sa poitrine creuse. Peut-être se délivrait-elle ainsi de la contrainte du jour? Maintenant elle exigeait que je couchasse dans sa chambre, sur un lit de camp. Le grand-père avait retenu pour l'automne une chambre dans un de ces établissements qu'on appelle sanatoriums, des hôpitaux pour millionnaires. « Ça ne presse pas tant, disait-il à la « mère. En été, le climat ici est aussi sain qu'ail« leurs et tu vois bien qu'elle ne peut pas se « passer de Philomène. » C'est vrai qu'elle tenait de plus en plus à moi, et moi aussi je tenais à elle. Madame se méfiait un peu. « Phi« lomène ne se ménage pas assez », disait le grand-père. Elle lui répondait : « Tu ne t'aper« çois donc pas qu'elle engraisse! » C'était vrai. Les veilles ne me coûtaient guère, je n'avais pas besoin de dormir. Et Mademoiselle se passait aussi très bien de sommeil, ou du moins elle en avait perdu le goût.

« Dans la journée, elle allait et venait comme d'habitude, je l'entendais quelquefois rire. Bien que je me montrasse alors le moins possible, quand il lui arrivait de me rencontrer, elle feignait souvent de ne pas me voir, ou souriait d'un drôle d'air, d'un air gêné. Lorsque nous nous retrouvions seules, elle commençait toujours par faire semblant de dormir. Vers minuit, la toux la réveillait. Je devais l'asseoir sur son lit, sa pauvre chemise collait à sa peau. La crise passée, elle n'avait pas plus de défense qu'un petit enfant; elle me disait qu'elle allait mourir, qu'elle le savait bien, que toutes les menteries des docteurs lui faisaient honte. Dès ce moment, je pensais qu'on doit se soumettre à la mort. Elle pleurait des heures, tout doucement, sans un sanglot, sans même cligner des paupières, c'était comme la vie qui sortait d'elle. A la fin je pleurais aussi. Elle me disait : « Comme tu m'aimes! » N'importe! Ces larmes-là n'étaient pas mauvaises, car la fatigue n'arrivait pas à bout de moi. Au contraire, je ne m'étais jamais senti tant d'appétit. J'étais toujours à la cuisine la première, avant que le lait du déjeuner fût seulement dans la casserole. J'aurais croqué des pierres. »

Visiblement elle ne parlait plus que pour elle-même, oubliant la présence de Mouchette, le paquet posé sur ses genoux qu'elle entourait de ses bras tremblants. Jusqu'où, jusqu'à quelle profondeur de son âme secrète fût allée sa confidence? Mais elle y fût allée en vain.

« Qu'est-elle devenue, votre demoiselle? » dit tout à coup Mouchette d'une voix rauque.

Elle serrait nerveusement le bras de la vieille conteuse, et son regard était celui des mauvais jours.

« Tu m'as fait peur, ma belle. Où en étais-je seulement? Je ne me souviens plus. Il me semble que tu m'as réveillée en sursaut, ma fille. »

Mais si court qu'il eût été, le repos avait rendu des forces à Mouchette. Elle sentait monter à ses joues un feu qu'elle connaissait bien et, aux tempes, ce cercle douloureux, sûr indice de ces brusques accès de méchanceté têtue qui exaspéraient Madame.

« Vous me dégoûtez, sale vieille bête. Si j'avais été cette demoiselle, je vous eusse plutôt étranglée.

— Voyez-vous ça! réplique la sacristine sans montrer aucune crainte. Un vrai chat sauvage.

Et qu'as-tu de commun avec la demoiselle, noiraude? Elle était belle et fraîche; toi, tu ressembles à une bohémienne. »

D'un mouvement inattendu, qui prévient toute défense de Mouchette, elle s'approche de la jeune fille, pose la main sur sa poitrine, à la place du cœur.

« Je ne te veux que du bien, dit-elle. Tu es mauvaise, mais c'est sûrement faute de comprendre. Il me semble que je connais déjà ton histoire. Parle à ton aise, ma fille. »

Elle s'est pelotonnée au fond du fauteuil et ses mains remuent sans cesse, le long de la robe noire, avec un si vif mouvement des doigts qu'on les prendrait pour deux petites bêtes grises à la poursuite d'une proie invisible.

QUATRIÈME PARTIE

C'EST une ancienne carrière de sable fin, abandonnée depuis longtemps. Ouverte presque au pied des collines, l'eau s'y est infiltrée peu à peu. Chaque hiver, la source, dissimulée sous les galets millénaires que les travaux ont mis au jour, recommence à couler sournoisement et, par vingt rigoles, descend la pente douce, gagne la plaine où, avant de se perdre dans le ruisseau Planquet, elle forme un minuscule étang, si clair, avec son fond de graviers blancs et roses, que les têtards le dédaignent.

Les compagnes de Mouchette y donnent rendez-vous aux garçons. Mais en cette matinée de dimanche la solitude est complète. Pour plus de sûreté, elle escalade un vieux remblai. Les éboulements successifs ont creusé là une sorte de grotte, réduit peu sûr, dont l'entrée est interdite par un écriteau que la malice des garçons a bariolé de dessins obscènes et qui, au clair de lune, allongé par son ombre, dessine une croix sur la paroi blafarde.

De ce lieu élevé, Mouchette peut voir la vallée où se tapit son hameau. Une mince colonne de fumée monte vers le ciel. L'odeur de sable mouillé vient jusqu'à elle, si différente des autres relents de la terre auxquels son odorat est habitué. Cela sent le mortier frais, la maison neuve et aussi le sel et l'embrun. Que de fois elle a oublié ici, par des matinées semblables, la tiédeur écœurante de la bicoque de torchis, qu'elle retrouve pourtant chaque soir avec une résignation semblable à celle d'une bête harassée, non pas sans un secret plaisir. Car le seul véritable repos qu'ait jamais connu, parmi des êtres qu'il déteste ou qu'il méprise, son cœur sauvage, c'est le dégoût. Incapable de justifier par des raisons la révolte de sa nature, son refus à peine conscient, elle se venge ainsi à sa manière de son incompréhensible solitude, comme, à la limite de la fatigue, il arrive qu'elle se couche exprès à la place la plus boueuse de la route.

Elle savourait maintenant ce dégoût avec une lucidité qu'elle n'avait jamais connue, qui lui paraissait merveilleuse. La vieille sacristine a dit les paroles qu'il fallait, les seules qui pussent attendrir Mouchette sur elle-même! Ce qu'une fille des faubourgs à l'imagination ensemencée par les feuilletons et le cinéma fait si aisément, Mouchette s'y exerce maintenant avec une maladresse poignante. Il lui faut un effort immense pour seulement comprendre qu'elle doit à sa déception d'amour une sorte de promotion mystérieuse, qu'elle est entrée ainsi du coup dans le monde romanesque à peine entrevu au cours de quelques lectures, qu'elle appartient désormais à ce peuple privilégié où les cœurs sensibles vont chercher, ainsi que l'amateur dans son vivier la truite la plus brillante, une belle proie pour leur pitié.

Oui, la vieille a dit ce qu'il fallait. La merveille est qu'elle ait réussi à lui arracher son secret. Par quel sortilège? Car des paroles n'eussent pas suffi à distendre ce cœur crispé, ouvrir la source des larmes. D'ailleurs Mouchette ne se souvient d'aucune.

Le mot de mort a seulement retenti à ses oreilles comme si elle l'entendait pour la première fois. Hier encore il était vide, noir. Il ne lui inspirait qu'une crainte vague, indéterminée, passive, et si elle évitait ordinairement de le prononcer, c'était moins par scrupule superstitieux que par indifférence cruelle envers les victimes. D'ailleurs le mot de vieillesse et celui de mort lui paraissent encore, comme au temps de sa première enfance, deux termes presque synonymes, les deux faces d'un même événement.

Et aujourd'hui voilà qu'elle songeait à sa propre mort, le cœur serré non par l'angoisse, mais par l'émoi d'une découverte prodigieuse, l'imminente révélation d'un secret, ce même secret que lui avait refusé l'amour. Et, certes, l'idée qu'elle se faisait de cet événement mystérieux restait puérile, mais l'image qui la laissait la veille insensible, l'enivrait maintenant d'une tendresse poignante. Ainsi un visage familier nous apparaît dans la lumière du désir, et nous savons tout à coup que depuis longtemps il nous était plus cher que la vie.

Le léger paquet restait posé à ses pieds sur le sable. Elle essaie vainement de se représenter le visage de la morte, tandis qu'elle retire une à une les épingles rouillées par le temps. La relique est maintenant étendue sur ses genoux presque aussi légère, inconsistante que le fantôme qu'elle évoque. La robe de mousseline glisse sous ses doigts. Comme sa main brune paraît noire à travers l'étoffe impalpable! Quelques secondes elle regarde cette main avec étonnement, puis avec dégoût, puis avec une sorte de terreur.

C'est à ce moment, et pour ce motif futile que la pitié qu'elle commençait de ressentir pour elle-même se dissipa d'un seul coup. On croit généralement que l'acte du suicide est un acte semblable aux autres, c'est-à-dire le dernier maillon d'une longue chaîne de réflexions ou du moins d'images, la conclusion d'un débat suprême entre l'instinct vital et un autre instinct, plus mystérieux, de renoncement, de refus. Il n'en est pas ainsi, cependant. Si l'on excepte certaines formes d'obsessions qui ne relèvent que de l'aliéniste, le geste suicidaire reste un phénomène inexplicable d'une soudaineté effrayante, qui fait penser à ces décompositions chimiques sur lesquelles la science à la mode, encore balbutiante, ne fournit que des hypothèses absurdes ou contradictoires.

Cette main brune aux ongles encore pleins de terre, était là, sous ses yeux, déjà ridée, déjà flétrie, et pourtant si puérile encore au bout du poignet grêle. La paume à demi ouverte, les doigts repliés, elle semblait morte. Et, un instant, Mouchette la vit morte en effet, telle quelle, dans la terre noire. Elle se mit à haïr cette main comme si elle ne lui eût pas appartenu, comme une chose étrange et détestable.

Le pouce en était un peu déformé par un

abcès, et la cicatrice apparaissait d'un blanc livide. Ainsi ce pouce ressemblait à celui de son père, élargi en spatule, presque monstrueux avec son ongle énorme et bombé. Du moins son imagination enflammée les confondait l'un et l'autre. Une pareille main était de celles qui portent le signe du malheur. Elle ne lui rappelait que des humiliations sans nombre. Que de fois Madame l'avait montrée à toute la classe, élevée au-dessus du pupitre directorial — cette main malpropre qui, défiant les principes les plus élémentaires de l'hygiène, dispersait les germes des plus mortelles maladies! Celles que Mouchette avait vues quelques heures auparavant, croisées sur la poitrine creuse de sa mère, étaient aussi sûrement de la même espèce maudite. Plus maudite encore, puisqu'elles avaient travaillé en vain tant d'années!

La morte n'était pas tendre et Mouchette n'avait reçu de ces vieilles mains que peu de caresses. Etaient-ce seulement des caresses? Jadis, peut-être? Mais de sa petite enfance, elle ne se souvenait guère, car ainsi que tous les êtres nés sous le signe du rêve, ses premières années n'étaient au fond de sa mémoire qu'un paysage de brume qui ne se révélerait que plus tard, beaucoup plus tard, au seuil de la vieillesse ou peut-être à l'heure de la mort. Chez la plupart des filles de son espèce, la vie ne commence réellement qu'avec l'éveil des sens. Ç'avait été aussi pour Mouchette le temps des pires taloches, car le vieux avait sur ces choses la cruelle perspicacité particulière aux rustres.

En de telles conjonctures, il arrive sans doute à des filles non moins misérables de trouver hors de l'abject foyer quelque tendresse, ne serait-ce que l'équivoque camaraderie d'une amie de leur âge. Mais, chaque fois que l'occasion s'en était proposée à Mouchette, elle l'avait repoussée d'instinct, presque malgré elle, par un de ces mouvements de défense qui lui paraissaient d'ailleurs absurdes, car le principe en était au plus profond de son âme, et elle n'aurait su le justifier. D'ailleurs, l'expression un peu sournoise de son visage, son regard à la fois insolent et craintif n'attiraient guère la sympathie. Bref, hasard et malchance, Mouchette eût volontiers convenu avec elle-même n'avoir jamais connu la douceur d'une caresse, d'une vraie caresse. Une fois pourtant...

C'était à la ducasse de Trémières. Elle avait porté à l'estaminet Dumont la pêche du vieux, un panier d'anguilles. Une grande fille blonde, l'ayant heurtée par mégarde, était revenue brusquement vers elle et lui avait demandé son nom sans obtenir de réponse. Alors elle avait posé contre sa joue une main douce et distraite. Mouchette n'avait prêté d'abord que peu d'attention à cette bagatelle. Jusqu'au soir, le souvenir même lui en avait paru pénible, elle s'était efforcée de le chasser. Il lui était revenu tout à coup, transfiguré, méconnaissable avec la lueur de l'aube sur le mauvais matelas que Mme Dumont, les soirs de presse, disposait dans un petit couloir encombré de bidons vides et de bouteilles, mêlant l'odeur aigre du vin à la fade et grasse puanteur du pétrole. Comment, par quel miracle, tandis qu'à moitié endormie, elle reposait sa face sur son bras replié, crut-elle sentir l'imperceptible parfum de la main tiède, et cette main elle-même si réelle, si proche, si vivante qu'avant de réfléchir elle avait jeté la tête en avant, fronçant ses lèvres pour un baiser?

Elle avait dix ans alors, et déjà son cœur s'était assez endurci pour qu'elle surmontât vite cette mystérieuse faiblesse. Jusqu'à la rencontre fortuite du beau braconnier, elle n'avait jamais réussi à vaincre la révolte incompréhensible qui, après un bref et vain élan, la rendait à sa sauvage solitude. Mais comme il arrive qu'une lésion profonde des nerfs fait circuler la douleur le long des rameaux invisibles et ne la laisse éclater qu'à un point si éloigné de la blessure que le chirurgien s'y trompe, alors que le souvenir de l'inconnue et de sa caresse s'était presque effacé de sa mémoire, Mouchette commença de regarder les mains avec une curiosité singulière, un dégoût secret.

Toujours intimidée par le regard — celui de Madame la faisait rougir jusqu'aux yeux — elle avait découvert la prodigieuse faculté d'expression des mains humaines, mille fois plus révélatrices que les yeux, car elles ne sont guère habiles à mentir, se laissent surprendre à chaque minute occupées qu'elles sont de mille soins matériels, tandis que le regard, guetteur infatigable, veille au créneau des paupières... Les mains du père, d'abord, posées sur les genoux, chaque soir, immobiles, presque terribles à la lueur de l'unique lampe qui fait danser les ombres, avec un poignet dont l'os semble prêt à trouer la peau, et cette touffe de poils à chaque jointure des doigts énormes. Les mains du grand-père aussi, qu'elle a vues croisées sur le ventre, au fond de la pièce, un jour d'été, persiennes closes, dans une brume de mouches invisibles... Les mains de ses jeunes frères, si vite devenues des mains d'ouvriers, des mains d'hommes. Et encore les mains des fermières qui sentent le lait aigre, la pâtée des veaux et des porcs. Celles de Madame, bien plus petites, le bout des doigts piqués de points noirs par l'aiguille... Mains laborieuses, mains ménagères, que le repos rend ridicules. Et de ce ridicule, les pauvres ont quelque conscience, car ils dérobent volontiers au regard leurs mains oisives. On dit de l'ouvrier endimanché « qu'il ne sait que faire de ses mains », raillerie cruelle, puisqu'il ne doit le pain de chaque jour qu'au travail de ces servantes.

Un des pans de l'étoffe légère usée par le temps reste prise sous la galoche de Mouchette, et la brusque secousse la déchire de haut en bas. C'est que la trame en est devenue aussi fragile qu'une toile d'araignée. Un instant, la pauvre fille essaie de dégager ses mains, mais la mousseline soyeuse, presque impalpable, s'accroche à la robe grossière, achève de s'en aller par lambeaux.

Fut-ce à ce moment que Mouchette subit le deuxième assaut de la force obscure qui venait de s'éveiller au plus profond, au plus secret de sa chair? Il fut si violent qu'elle se mit à piétiner sur l'étroite plate-forme en gémissant, ainsi qu'une bête prise au piège. La pensée de la mort n'achevait pourtant pas de se former, le regard qu'elle fixait malgré elle sur la mare qui miroitait sous ses pieds restait vague. Elle ne voulait pas mourir. C'était plutôt comme une sorte de honte inexplicable, une timidité mystérieuse, celle qui saisit tout à coup certains nerveux, non à l'approche d'inconnus, mais parmi des amis familiers, en pleine conversation, avec la brutalité d'une crise épileptique, traçant autour d'eux un cercle invisible de silence et de solitude où l'on croit les voir tourner, affolés ainsi que le scorpion cerné par les flammes.

Pas une seconde la pensée de Mouchette ne se porta vers l'homme dont elle avait subi l'étreinte, partagé toute une nuit le puéril et grossier cauchemar. En un tel moment, la colère et la honte eussent pu lui tenir lieu d'espoir, car de telles passions ne vont pas sans un obscur souhait de revanche. Mais son imagination violente, toute sensuelle, n'était jamais allée beaucoup au-delà du présent et à cette minute solennelle l'avenir était plus que jamais pour elle un mot vide de sens. Le « à quoi bon? », la question terrible, inexorable, à laquelle nul homme réellement passionné n'a pu répondre et qui a décidé du salut de quelques rares héros par un miracle de grâce, car elle se retourne d'ordinaire contre celui qui le prononce, symbole de l'antique serpent, ou peut-être ce serpent lui-même, n'arriva pas jusqu'à ses lèvres. Elle se posait au-dedans d'elle, informulée, ainsi qu'une mine qui éclate dans l'eau profonde, et dont l'oreille n'a perçu que le sourd grondement, alors que la houle irrésistible monte déjà de l'abîme muet. La même force de mort, issue de l'enfer, la haine vigilante et caressante qui prodigue aux riches et aux puissants les mille ressources de ses diaboliques séductions, ne peut guère s'emparer que par surprise du misérable, marqué du signe sacré de la misère. Il faut qu'elle se contente de l'épier, jour après jour, avec une attention effrayante, et sans doute une terreur secrète. Mais, la brèche à peine ouverte du désespoir dans ces âmes simples, il n'est sans doute d'autre ressource à leur ignorance que le suicide, le suicide du misérable, si pareil à celui de l'enfant.

Un lambeau de mousseline pendait hors de la plate-forme dans l'air immobile.

Le regard de Mouchette ne quittait plus maintenant le minuscule étang solitaire. Frappée de biais par la lumière, ou touchée par l'ombre, la surface en paraissait tour à tour terne ou moirée.

Une minute, l'instinct de la malheureuse l'avertit du danger et elle commença de descendre la pente, tête basse, cherchant vainement à rassembler les images éparses, incohérentes, pareilles à un tourbillon de feuilles mortes. Ce trouble, cette confusion, cette stupeur de la conscience, comme engourdie par l'afflux du sang trop lourd qu'elle sentait battre à chaque coude de ses artères, elle ne l'ignorait pas sans doute. Mais c'était aujourd'hui l'engourdissement qui précède le sommeil après l'accès de la fièvre, lorsque s'ouvrent les écluses de la sueur. Elle ne savait pas quel sommeil.

Tournant le dos à la mare, elle leva les yeux vers le paysage familier avec le vague souhait d'y trouver une défense, un appui. Et déjà elle laissait reposer son regard sur la route qui, contournant le bois, plonge brusquement dans la vallée, suspendue entre ciel et terre. C'était là le chemin qu'elle avait pris tant de fois, les dimanches d'automne, le long des haies pleines de mûres... Les larmes lui vinrent aux yeux. Du moins elle en sentit la brûlure sous ses paupières. Mais, à l'instant même, les fers d'un cheval sonnèrent sur la route de Mézargues, et presque aussitôt la lourde jument du père Ménétrier apparut au haut de la pente. L'homme et la bête étaient tout proches, si proches qu'elle entendait le vieux grommeler à part lui, selon son habitude, car il souffrait d'un catarrhe.

Le premier mouvement de la fille fut de fuir, mais ses jambes étaient de plomb. A mesure que s'avançait le promeneur (la courbe du chemin le rapprochant d'elle), le cœur de Mouchette battait à se rompre, ainsi que celui du joueur qui épie entre les doigts du donneur la carte qui va décider de sa vie. Un moment, elle surprit le regard du vieux tourné vers elle, aussi indifférent que celui de la bête. Elle eût voulu crier, appeler, courir au-devant de ce grotesque sauveur. Mais il s'éloigna de son pas pesant, et aussitôt Mouchette crut voir son image falote glisser avec une rapidité prodigieuse comme aspirée par le vide. Elle la suivit une seconde dans sa course vertigineuse. L'être dont les muscles obéissaient encore à sa volonté, son propre corps, n'était lui-même guère plus qu'un fantôme.

Le geste du suicide n'épouvante réellement que ceux qui ne sont point tentés de l'accomplir, ne le seront sans doute jamais, car le noir abîme n'accueille que les prédestinés. Celui qui déjà dispose de la volonté meurtrière l'ignore encore, ne s'en avisera qu'au dernier moment. La dernière lueur de conscience du suicidé, s'il n'est pas un dément, doit être celle de la stupeur, d'un étonnement désespéré. A l'exception des fous justiciables d'une autre loi plus obscure, personne ne tente deux fois de se tuer.

Observée de près, l'eau semblait claire. La vase du fond était d'un gris presque vert, douce aux yeux comme un velours.

Mais mille fois plus douce la voix qui parlait au cœur de Mouchette. Est-ce voix qu'il faut dire? Mouchette écoutait cette voix à peu près comme un animal celle de son maître, qui l'encourage et l'apaise. Elle ressemblait à la voix de la vieille sacristine, mais aussi à celle d'Arsène, et parfois même elle prenait l'accent de Madame. Cette voix ne parlait naturellement aucun langage. Elle n'était qu'un chuchotement confus, un murmure, et qui allait s'affaiblissant. Puis elle se tut tout à fait.

Mouchette se laissa glisser sur la côte jusqu'à ce qu'elle sentît le long de sa jambe et jusqu'à son flanc la douce morsure de l'eau froide. Le silence qui s'était fait soudain en elle était immense. C'était celui de la foule qui retient son haleine lorsque l'équilibriste atteint le dernier barreau de l'échelle vertigineuse. La volonté défaillante de Mouchette acheva de s'y perdre. Pour obéir, elle avança un peu plus, en rampant, une de ses mains posées contre la rive. La simple pression de sa paume suffisait à maintenir son corps à la surface de l'eau, pourtant peu profonde. Un moment, par une sorte de jeu sinistre, elle renversa la tête en arrière, fixant le point le plus haut du ciel. L'eau insidieuse glissa le long de sa nuque, remplit ses oreilles d'un joyeux murmure de fête. Et, pivotant doucement sur les reins, elle crut sentir la vie se dérober sous elle tandis que montait à ses narines l'odeur même de la tombe.

BRODARD ET TAUPIN — IMPRIMEUR - RELIEUR
Paris-Coulommiers. — France.
05.242-V-2-0387 - Dépôt légal n° 5149, 1er trimestre 1966.
LE LIVRE DE POCHE - 4, rue de Galliéra, Paris.

Littérature, roman, théâtre poésie

Alain-Fournier.
Le grand Meaulnes, 1000.
Allais (Alphonse).
Allais... grement, 1392.
Ambrière (Francis).
Les Grandes Vacances, 693-694.
Anouilh (Jean).
Le Voyageur sans Bagage suivi de *Le Bal des Voleurs*, 678.
La Sauvage suivi de *L'Invitation au Château*, 748-749.
Le Rendez-vous de Senlis suivi de *Léocadia*, 846
Colombe, 1049.
L'Alouette, 1153.
Apollinaire (Guillaume).
Poésies, 771.
Aragon (Louis).
Les Cloches de Bâle, 59-60.
Les Beaux Quartiers, 133-134.
Les Voyageurs de l'Impériale, 768-9-70.
Aurélien, 1142-3-4.
Arland (Marcel).
Terre Natale, 1264.
Arnaud (Georges).
Le Salaire de la Peur, 73.
Le Voyage du mauvais Larron, 1438.
Audiberti (Jacques).
Le Mal court suivi de *L'Effet Glapion*, 911.
Audoux (Marguerite).
Marie-Claire, 742.
Aymé (Marcel).
La Jument Verte, 108.
Le Passe-Muraille, 218.
La Vouivre, 1230.
La Tête des Autres, 180.
Clérambard, 306.
Lucienne et le Boucher, 451.
Travelingue, 1468.
Barbusse (Henri).
L'Enfer, 591.
Barjavel (René).
Ravage, 520.
Barrès (Maurice).
La Colline inspirée, 773.
Barrow (John).
Les Mutins du «Bounty», 1022-23.
Baum (Vicki).
Lac-aux-Dames, 167.
Grand Hôtel, 181-182.
Sang et Volupté à Bali, 323-324.
Prenez garde aux Biches, 1082-3.
Bazin (Hervé).
Vipère au Poing, 58.
La Mort du Petit Cheval, 112.
La Tête contre les Murs, 201-202.
Lève-toi et marche, 329.
L'Huile sur le Feu, 407.
Qui j'ose aimer, 599.
Beauvoir (Simone de).
L'Invitée, 793-794.
Mémoires d'une Jeune Fille rangée, 1315-16.
La Force de l'Age, 1458-59-60.
Benoit (Pierre).
Kœnigsmark, 1.
Mademoiselle de la Ferté, 15.
La Châtelaine du Liban, 82.
Le Lac Salé, 99.
Axelle suivi de *Cavalier 6*, 117-118.
L'Atlantide, 151.
Le Roi Lépreux, 174.
La Chaussée des Géants, 223-24.
Alberte, 276.
Pour Don Carlos, 375.
Le Soleil de Minuit, 408.
Erromango, 516-17.
Le Déjeuner de Sousceyrac, 633.
Le Puits de Jacob, 663.
Le Désert de Gobi, 931.
Monsieur de la Ferté, 947.
Les Compagnons d'Ulysse, 1225.
L'Ile verte, 1442.
Béraud (Henri).
Le Bois du Templier pendu, 1439.
Bernanos (Georges).
Journal d'un Curé de Campagne, 103.